Contents

Course team list

Course team

Inma Álvarez Puente (academic)

Michael Britton (editor)

Concha Furnborough (academic)

María Iturri Franco (course chair/academic)

Martha Lucía Quintero Gamboa (secretary)

Enilce Northcote-Rojas (secretary)

Cristina Ros i Solé (course chair/academic)

Fernando Rosell Aguilar (academic)

Malihe Sanatian (course manager)

Sean Scrivener (editor)

Mike Truman (academic)

Olwyn Williams (administrator)

Production team

Ann Carter (print buying controller)

Jonathan Davies (design group co-ordinator)

Janis Gilbert (graphic artist)

Pam Higgins (designer)

Tara Marshall (print buying co-ordinator)

Jenny Nockles (designer)

Jon Owen (graphic artist)

Deana Plummer (picture researcher)

Natalia Wilson (production administrator)

BBC production

William Moult (audio producer)

Consultant authors

Concha Furnborough (Book 3)

Peter Furnborough (Book 3)

Rosa Calbet Bonet

Manuel Frutos Pérez

Consuelo Rivera Fuentes

Elvira Sancho Insenser

Gloria Gutiérrez Almarza (*Espejo cultural*)

Alicia Peña Calvo (*Espejo cultural*)

Contributors

Lina Adinolfi

Anna Comas-Quinn

Ricard Huerta

Sue Hewer

Gabriela Larson Briceño

Raquel Mardomingo Rodríguez

Carol Styles Carvajal

Roger Zanni (cartoons)

Critical readers

Joan-Tomàs Pujolà

Gloria Gutiérrez Almarza

External assessor

Salvador Estébanez Eraso,
Instituto Cervantes.

Special thanks

The course team would like to thank everyone who contributed to *Portales*. Special thanks go to Uwe Baumann, Hélène Mulphin and Christine Pleines, to William Moult for additional cultural notes, and to all those who took part in the audio recordings and music.

1

Cada cosa a su tiempo

This unit looks at daily and weekly routines. You will find out about typical working weeks in Spain and Chile, plus look at a primary school timetable in Spain. You will get an idea of some of the leisure activities available in these countries to balance the working week, and look at mealtimes and eating habits. You will also see how people go about their daily lives, and take a look at public transport in Valencia and Santiago.

During the sessions you will learn how to talk about times, days of the week, months, seasons and the weather. You will acquire the language you need to use public transport, order meals and make telephone calls.

OVERVIEW: CADA COSA A SU TIEMPO

Session	Language points	Vocabulary
1 ¿Abre o cierra?	• Talking about opening and closing times • Using radical changing verbs	Shops and public buildings: *la farmacia, la panadería, Correos,* etc.
2 ¿Qué día es hoy?	• Talking about weekly routines • Days of the week • Irregular verbs	Days of the week, school subjects and everyday routines: *lunes, el colegio, hoy,* etc.
3 Me gusta hacer de todo	• Talking about leisure activities • Expressing likes with actions: *gustar* + infinitive	Leisure activities: *el deporte, jugar, leer,* etc.
4 ¿Cómo vas?	• Talking about different means of public transport • Asking and saying how to go to places • Asking and saying how long it takes	Transport: *el autobús, el coche, el billete,* etc.
5 Mi rutina diaria	• Talking about daily routines • Using reflexive verbs	Daily routines: *despertarse, vestirse, acostarse,* etc.
6 A la mesa	• Talking about eating habits • Expressing frequency using adverbial expressions and *soler*	Food and meals: *el plato, el bocadillo, el postre,* etc.
7 ¿De parte de quién?	• Making a telephone call • Telephone language	Standard telephone expressions: *dígame, comunicar, llamar,* etc.
8 ¿Qué tiempo hace?	• Talking about the weather • Talking about months and seasons	Weather, temperature, months of the year, seasons: *llover, el mes, la primavera,* etc.
9 Repaso	Revision	
10 ¡A prueba!	Test yourself	

Cultural information	Language learning tips
Opening and closing times. *La horchatería*.	Pronunciation: intonation in questions.
Primary schools in Spain and Chile.	
Popular leisure pursuits in Spain and Chile.	
Public transport in Spain and Chile.	Choosing the right meaning in a dictionary. Learning words in context.
Television schedules.	
Eating habits in the Hispanic world.	
Differences in seasons between Spain and Chile (northern/southern hemispheres).	Pronunciation: diphthongs. Learning through association.

Sesión 1
¿Abre o cierra?

In this session you will find out about opening and closing times in Valencia and Santiago de Chile.

Key learning points

- Talking about opening and closing times
- Using radical changing verbs

Actividad 1.1

Patricio is finding that opening and closing times in Valencia are a bit different from at home.

1   First match the list of places with their English translations. The first has been done for you.

Enlace.

biblioteca	supermarket
ayuntamiento	post office
museo	chemist
banco	tobacconist's
Correos	baker's
tienda de ropa	museum
panadería	library
estanco	bank
librería	bookshop
supermercado	town hall
farmacia	clothes shop

2   Patricio checks his guidebook to find out about opening and closing times. Read the text and underline the names of shops and establishments mentioned. The first has been done for you.

Lea y subraye.

Horarios

En Valencia los <u>bancos</u> y las oficinas gubernamentales (ayuntamientos, museos, bibliotecas, Correos) abren solo por la mañana. Los comercios como tiendas de ropa, panaderías, zapaterías y librerías normalmente cierran entre las dos y las cinco. Algunas tiendas como los supermercados o las farmacias abren todo el día. La zona comercial principal está en la calle Colón.

algunos, -as
some

Actividad 1.2 🎧

In this activity you will learn to ask about opening and closing times.

verano (el)
summer

mediodía (el)
midday

1   Listen to *Pista 2* of CD3, which is about some opening and closing times in Valencia, and complete the table below.

Escuche y complete la tabla.

ESTABLECIMIENTOS	Mañana		Tarde	
	Abre	**Cierra**	**Abre**	**Cierra**
(a) la horchatería		—	—	
(b) un kiosco de la ONCE			—	—-
(c) el bar		—	—	

THE *HORCHATERÍA*: A VALENCIAN INSTITUTION

Horchata is a refreshing drink with a milky-like colour and consistency that tastes of cinnamon. It is made from *chufa* (tiger nuts), and was originally introduced into Spain by the Arabs. It is a speciality of Valencia, where it can be enjoyed in cafés known as *horchaterías*.

2   Listen to *Español de bolsillo* on *Pista 29*, paying particular attention to intonation in questions. Then practise reading the phrases aloud. Next, record yourself and compare your intonation with the original.

> **Español de bolsillo** 🎧 (Pista 29)
> ¿A qué hora abre?   What time does it open?
> ¿A qué hora cierra?   What time does it close?
> A las nueve y media de la mañana.   At 9.30 in the morning.
> ¿Cierra a mediodía?   Does it close at midday?
> ¿Abre por la tarde?   Does it open in the afternoon?

Escuche y grábese en su cinta.

Remember that, when referring to mornings/afternoons/evenings, *de* is used with specific times to mean 'in': *a las nueve y media **de** la mañana*. When a time is not specified, *por* is used: *¿Abre **por** la tarde?*

3   Now it's time to check on when certain places open and close. Listen to *Pista 3* and do the exercise.

Escuche y participe.

Actividad 1.3

In this activity you will learn to use the present tense of a common type of verb.

USING RADICAL CHANGING VERBS

Verbs like *cerrar* and *empezar* are called radical changing verbs. These are verbs which change their stem in some forms (the stem is the infinitive minus the ending, for example *abrir*: stem = *abr-* and ending = *-ir*). In the examples below, notice how the *e* in the stem of *cerrar* changes to *ie* in some forms. The forms that change are the first, second and third persons in the singular, and the third person in the plural. Radical changing verbs that have an *o* or a *u* in their stem change to *ue*.

cerrar   **Cie**rro el bar a las doce.

volver   **Vue**lvo a casa a las dos.

jugar   **Jue**go con mis amigos.

CERRAR (to close)	VOLVER (to return)	JUGAR (to play)
cierro	vuelvo	juego
cierras	vuelves	juegas
cierra	vuelve	juega
cerramos	volvemos	jugamos
cerráis	volvéis	jugáis
cierran	vuelven	juegan

To find out more, see the section *Radical Changing Verbs* in the grammar book.

1   Fill in the correct forms of the verbs.

Complete las frases.

empezar
to start
querer
to want

(a) Rosa, ¿a qué hora _____ (empezar) (tú) el colegio?

(b) ¿Y a qué hora _____ (jugar) (él) con los amigos?

(c) ¿A qué hora _____ (querer) (usted) cenar?

(d) ¿A qué hora _____ (volver) (usted) a casa?

(e) ¿Y a qué hora _____ (cerrar) el supermercado?

2   Now change the verbs in the previous step to the plural.

Cambie las formas del verbo.

Ejemplo
(a) empezáis

Actividad 1.4

In the meantime, in Chile, Isabel is finding that opening times are different from in Spain.

1   Look at the pictures overleaf and write full sentences stating what time each place opens and closes.

Escriba frases.

Ejemplo

El Banco Portales abre a las nueve de la mañana y cierra a las dos de la tarde.

(a)

(b)

Restaurante
El Pinchín

Abrimos de
7 de la tarde
a 1 de la mañana

(c)

BUSINESS HOURS IN CHILE

Business hours in Chile vary. Normally shops open at 9 am and close for two or even three hours at lunchtime. In the afternoons they open between 3 pm and 7 pm. Chemists follow a rota system so that one is always open at night and on public holidays. Banks open between 9 am and 2 pm. Government and local authority offices work between 9 am and 6 pm, and post offices open from 9 am to 5 pm.

2   Now talk about opening times in your country. Write five sentences stating what time the following places open and close.

Escriba frases.

---

los bancos • las farmacias • los supermercados • Correos • el ayuntamiento

---

Léxico básico

abrir	*to open*
cerrar	*to close*
Correos	*post office*
empezar	*to begin, start*
farmacia (la)	*chemist*
jugar	*to play*
librería (la)	*bookshop*
panadería (la)	*baker's*
querer	*to want*
volver	*to return*

Sesión 2
¿Qué día es hoy?

In this session you will find out about a school in Spain and a pupil's typical week.

Key learning points

- Talking about weekly routines

- Days of the week

- Irregular verbs

Actividad 2.1

Today is Monday. The children are reciting the days of the week.

1   Listen to the children on *Pista 4* and number the days of the week below in the order you hear them.

Escuche y ponga en orden.

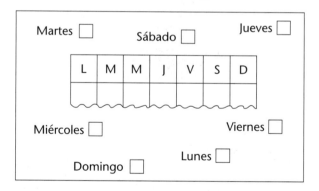

Español de bolsillo (Pista 30)
¿Qué día es hoy?   What day is it today?
Hoy es lunes.   Today is Monday
Hoy es martes.   Today is Tuesday.

Martes ☐   Sábado ☐   Jueves ☐

L	M	M	J	V	S	D

Miércoles ☐   Viernes ☐

Domingo ☐   Lunes ☐

TALKING ABOUT DAYS OF THE WEEK

In Spanish the days of the week are: *lunes, martes, miércoles, jueves, viernes, sábado, domingo.*

Monday is regarded as the first day of the week.

The days of the week are masculine (like the word for 'day': *el día*), and they are always written with a small letter. They are generally used with the definite article (except in the phrase *Hoy es…*):

   El lunes voy al dentista. (I'm going to the dentist on Monday.)

Note that no preposition equivalent to the English 'on' is used.

When talking about routines, the plural is used (only *sábado* and *domingo* add an -*s* in the plural):

> Los lunes empiezo el trabajo a las nueve. (On Mondays I start work at nine o'clock.)

See also the section *Date, Days, Months, Year, Seasons* in the grammar book.

2 Listen to *Pista 5*. Write down the children's ages and their favourite days.

Escuche y anote.

(a) **Nombre:** Laura

Edad:

Día preferido:

(b) **Nombre:** Noelia

Edad:

Día preferido:

(c) **Nombre:** Estefanía

Edad:

Día preferido:

(d) **Nombre:** Edgar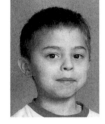

Edad:

Día preferido:

Español de bolsillo 🎧 (Pista 31)

¿Cuál es tu día preferido?   What is your favourite day?

Mi día preferido es el lunes.   My favourite day is Monday.

Mi día preferido es el sábado.   My favourite day is Saturday.

Actividad 2.2

In this activity you will find out what pupils learn in a Spanish primary school.

1 Isabel's 9-year-old granddaughter Paloma is a pupil at the school. Look at her timetable and answer the following questions.

Lea y conteste.

asignatura (la)
subject

(a) ¿Qué día tiene gimnasia?

(b) ¿En qué asignatura usa números?

(c) ¿Qué día tiene arte?

(d) ¿En qué asignaturas utiliza instrumentos musicales?

Horario de Paloma Paredes Martín   Clase 4A

lengua (la)
(Spanish) language

lectura (la)
reading

recreo (el)
break

medio ambiente (el)
environmental studies

dibujo (el)
art

deberes (los)
homework

paseo (el)
walk

	Lunes	Martes	Miércoles	Jueves	Viernes
9:00 – 9:55	Lengua	Lengua	Lengua	Lengua	Lengua
10:00 – 10:55	Matemáticas	Matemáticas	Matemáticas	Matemáticas	Matemáticas
11:00 – 11:30	Lectura	Lectura	Lectura	Lectura	Lectura
11:30 – 12:00	Recreo	Recreo	Recreo	Recreo	Recreo
12:00 – 12:55	Medio Ambiente	Medio Ambiente	Inglés	Medio Ambiente	Inglés
13:00 – 13:55	Música	Dibujo	Educación física	Inglés	Religión
14:00 – 16:00					
16:00 – 18:00	Guitarra	Deberes	Paseo por el parque	Baile	Deberes

PRIMARY SCHOOLS IN SPAIN AND CHILE

Traditionally, children in Spain have returned to school in the afternoon after going home for lunch, though nowadays there is an increasing trend for school to be mornings only (until lunchtime, between 2 and 3 pm). In Chile pupils attend school either in the mornings or in the afternoons. In Spain there are no half-term breaks; instead, holidays normally consist of three weeks in the winter (from around 22 December to 8 January), two weeks at Easter, and ten to twelve weeks in the summer (from late June to mid or late September).

2   Paloma has written some sentences about her weekly routine. Decide which statements are true and which are false.

¿Verdadero o falso?

	Verdadero	Falso
(a) Los miércoles hago gimnasia.	❑	❑
(b) Los martes por la tarde tengo clase de guitarra.	❑	❑
(c) A las once y media salgo al patio para el recreo.	❑	❑
(d) Los martes y los jueves hago los deberes por la tarde, normalmente de cuatro a seis.	❑	❑
(e) Los miércoles por la tarde estoy libre – doy un paseo por el parque.	❑	❑

SOME IRREGULAR VERB FORMS

Not all forms of the present tense have regular endings. Look at the list below. All these verbs are irregular in the first person singular.

tener (to have)	tengo	**dar** (to give)	doy
venir (to come)	vengo	**estar** (to be)	estoy
poner (to put)	pongo	**salir** (to leave)	salgo
ir (to go)	voy	**hacer** (to do)	hago

Tengo clase de música.

Salgo de clase a las cuatro.

Note that *ir* is irregular in all persons of the verb (*voy, vas, va, vamos, vais, van*), and *tener* and *venir* are radical changing (*tengo, tienes, tiene*, etc.; *vengo, vienes, viene*, etc.):

¿Tienes clase de dibujo hoy?

¿A qué hora vienes al parque?

See also the section *Twenty verbs IRREGULAR in the Present Tense* in the grammar book.

3   Complete the gaps with the appropriate form of the verb in the first person singular.

Rellene los espacios en blanco.

Ejemplo
Pongo (poner) la radio.

(a) _____ (tener) tres hermanos.

(b) _____ (ir) a casa de mis abuelos los domingos.

(c) _____ (hacer) los deberes los jueves.

(d) _____ (salir) de casa a las 8.

(e) _____ (venir) del colegio a las 6.

(f) _____ (dar) un paseo con María.

(g) _____ (estar) en casa.

(h) _____ (poner) música.

Actividad 2.3 🎧

una agenda
muy apretada
a busy diary

descansar
to rest

1 Listen to *Pista 6*, in which a friend is trying to arrange to meet up, and do the exercise.

Escuche y participe.

2 Now it's your turn to write about your normal week. Write seven sentences stating different things that you do each day.

Escriba frases.

Ejemplo

Los lunes hago yoga.

Léxico básico

asignatura (la)	subject		hoy	today
clase (la)	class		poner	to put
dar	to give		recreo (el)	break
deberes (los)	homework		salir	to leave, go out
descansar	to rest		semana (la)	week
día (el)	day		venir	to come

Sesión 3
Me gusta hacer de todo

Work is over! Time to relax and find out what people in Spain and Chile do in their free time.

Key learning points

- Talking about leisure activities
- Expressing likes with actions: *gustar* + infinitive

Actividad 3.1

In this activity you are going to look at some common leisure activities.

es mejor
it's best

1 In Patricio's office, three colleagues are talking about their spare time. Match each statement to the speaker who you think looks most appropriate.

Enlace el diálogo con el hablante.

(a)

Es mejor hacer deporte, montar en bicicleta, jugar al fútbol, esquiar…

(b)

No me gusta el deporte. Todo mi tiempo libre estoy en casa: navego por internet, leo libros, veo la tele, escucho música…

(c)

Pues yo oigo el fútbol por la radio, veo la vuelta ciclista por la tele y leo los resultados deportivos en internet.

2 Match the columns to form common leisure activities. Then write each activity under the appropriate icon below.

Enlace y escriba.

hacer	libros
leer	deporte
escuchar	al fútbol
ver	por internet
jugar	música
navegar	en bicicleta
montar	la tele

(a)

(b)

(e)

(c)

(f)

(d)

(g)

Actividad 3.2

Some Valencians talk about what they like doing in their spare time.

1 Listen to *Pista 7* and tick the activities that you hear mentioned. Which are most popular? You may need to pause the CD occasionally.

Marque con una cruz.

jugar al fútbol   ❑

escuchar música   ❑

salir con los amigos ❑

hacer deporte ☐

cantar ☐

bailar ☐

ir al cine ☐

leer ☐

ver la tele ☐

> **Español de bolsillo** 🎧 (Pista 32)
> ¿Qué te gusta hacer en tu tiempo libre? What do you like doing in your spare time?
> Me gusta navegar por internet. I like surfing the Net.
> Me gusta hacer deporte. I like playing sport.

EXPRESSING LIKES

As you know, the verb *gustar* followed by a noun is used to talk about likes:

Me gusta el teatro. (I like theatre.)

Me gustan los deportes. (I like sport.)

Gustar can also be followed by an infinitive when what is liked is an action. In this case, the singular form of *gustar* is always used. The pronoun (*me, te, le, nos, os, les*) shows who does the liking.

Me gusta ir al teatro. (I like going to the theatre.)

Nos gusta leer novelas. (We like reading novels.)

To say you don't like doing something, add *no* before the pronoun:

No me gusta ir al teatro. (I don't like going to the theatre.)

To specify a name, introduce it with the preposition *a*. The pronoun (*le, les*) must also be used.

A Enrique le gusta ver la televisión. (Enrique likes watching television.)

A Pepe y a María les gusta ir a la discoteca. (Pepe and María like going to the disco.)

Note: never say '*yo me gusta*', '*tú te gusta*', etc.

me gusta	nos gusta
te gusta	os gusta
le gusta	les gusta

ver los trenes pasar
trainspotting

2   Now you will practise talking about leisure activities. Listen to *Pista 8* and do the exercise.

Escuche y participe.

Actividad 3.3 _____

You are now going to talk about what leisure activities you enjoy.

1 Look at this leisure activities flyer. Ask a friend which of the activities he or she likes doing.

Haga preguntas.

Ejemplo

¿Te gusta hacer parapente?

2 Look at your questions from step 1 and say whether you like those activities or not.

Responda a sus preguntas.

Ejemplo

No me gusta hacer parapente.

3 Translate the following sentences into Spanish.

Traduzca las frases.

(a) I like dancing.

(b) She likes surfing the Net.

(c) He likes reading books.

(d) We like playing football.

(e) They like going to the cinema.

Actividad 3.4 _____

Now you are going to talk a bit more about what you do in your own spare time.

Make a list of your five favourite leisure activities and your five least favourite. Look up any expressions you don't know in the dictionary. Then make sentences saying what you like and what you don't like, using *me gusta/no me gusta*.

Escriba frases.

Léxico básico

caballo (el)	*horse*	montar	*to ride*
deporte (el)	*sport*	navegar (por internet)	*to surf (the Net)*
libro (el)	*book*	piragüismo (el)	*canoeing*

Sesión 4

¿Cómo vas?

While Patricio is getting to know Valencia, Isabel is learning to get around in Santiago. In this session you will practise the language you need to use public transport.

Key learning points

- Talking about different means of public transport
- Asking and saying how to go to places
- Asking and saying how long it takes

Actividad 4.1

Patricio is looking at his guide to Valencia. He looks up information about the underground system, one of the most modern in Spain.

El metro de Valencia es del año 1988. Tiene tres líneas (1, 3 y 4). Las estaciones son muy modernas. En la línea tres, algunas estaciones están decoradas con arte contemporáneo. Para usar el metro puede comprar un billete o un bonometro de diez viajes.

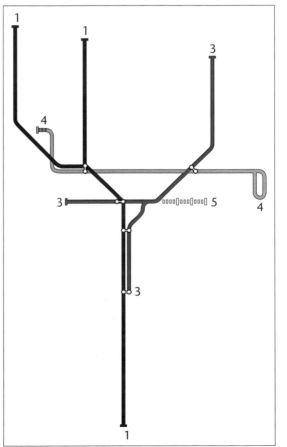

Read these statements about the Valencia underground and tick to say whether you think they are true or false.

¿Verdadero o falso?

	Verdadero	Falso
(a) Ahora tiene cuatro líneas.	❑	❑
(b) Es muy moderno.	❑	❑
(c) Todas las estaciones tienen arte.	❑	❑
(d) El bonometro sirve para diez viajes.	❑	❑

todos, -as
all

Actividad 4.2 🎧

In this activity you will practise describing different ways of getting to work.

1   Listen to *Pista 9* and use the phrases below to say how these people get to work.

Rellene los espacios en blanco.

**en autobús/
en colectivo**

en metro

(a) Normalmente voy a la universidad _____.

(b) Andando. Voy andando, _____.

(c) Yo, voy al trabajo _____.

(d) Voy al trabajo _____.

(e) Al trabajo voy _____.

(f) _____.

Español de bolsillo 🎧 (Pista 33)
¿Cómo vas al trabajo?   How do you go to work?
Voy andando.   I walk.
Voy en autobús.   I go by bus.

en coche   **a pie/andando**

TALKING ABOUT MEANS OF TRANSPORT

In Spanish, the preposition *en* is used to talk about means of transport: *en autobús, en metro, en coche, en taxi.* The only exception is *a pie* (on foot).

¿Cómo vas a la universidad?

Voy **en** metro.   Voy **a** pie.

Remember that *a* is also used to indicate direction, so when direction and means of transport are both mentioned, two prepositions are needed:

Voy **a** la oficina **en** bicicleta.

compra (la)
shopping

relajado
relaxed

2   Listen to *Pista 10* and do the exercise.

Escuche y participe.

Actividad 4.3 🎧 _____

Isabel wants to find out from her friends about means of transport and journey times in Santiago de Chile.

DIFFERENT TERMS IN DIFFERENT PLACES

Transport is one of those subjects where terms vary between places. For example, a bus is: *el autobús* (Spain), *la micro* (Chile), *el colectivo* (Argentina, Venezuela), *el ómnibus* (Uruguay), *la guagua* (Cuba, Canary Islands). However, whichever word you use, you will probably be understood in most places.

difícil
difficult

encontrar
aparcamiento
*to find a
parking space*

1   Listen to the interviews on *Pista 11* and write down how long it takes to get to work, depending on the means of transport.

Escuche y anote.

en autobús	
en metro	
en taxi	
en coche	

Español de bolsillo 🎧 *(Pista 34)*

¿Cuánto tarda en ir al trabajo?   *How long does it take you to get to work?*

¿Cuánto tardas? (informal)   *How long does it take (you)?*

Tardo veinte minutos.   *It takes (me) twenty minutes.*

2   Write sentences about these people's journeys to work.

Escriba frases.

Ejemplo

Isabel – micro – 40 minutos

Isabel va al trabajo en micro. Normalmente tarda 40 minutos.

(a) Juan – pie – 20 minutos

(b) Selma – metro – 15 minutos

(c) Alberto – taxi – 5 minutos

Actividad 4.4

Your local council is doing a survey on the use of transport services.

Fill in the following questionnaire using the options listed. Give full sentences.

Responda a las preguntas del cuestionario.

Cuestionario de transporte

Opciones:
- coche
- taxi
- autobús
- pie
- metro
- tren
- avión

Ejemplo

¿Cómo va a trabajar? ¿Cuánto tarda?

Voy a trabajar en autobús. Tardo 30 minutos.

(a) ¿Cómo va al supermercado? ¿Cuánto tarda?

(b) ¿Cómo va al centro? ¿Cuánto tarda?

(c) ¿Cómo va a visitar a la familia? ¿Cuánto tarda?

(d) ¿Cómo va de vacaciones? ¿Cuánto tarda?

Gracias por su colaboración.

Enpocas**palabras**

Dictionary skills: choosing the right meaning in a dictionary

IDENTIFYING THE APPROPRIATE TERM BY GEOGRAPHY

Words often have more than one meaning, and choosing the right meaning is an important skill which involves looking carefully at the context, register, grammatical category or geography of the word.

'Geography' refers to where the word is used: as with American and British English, you may find that the same object is referred to by different words in different places (like the terms for 'bus' that you saw earlier). Usually, these do not create great communication problems, though sometimes they may be the source of some humorous confusions. For example, in Spain the word *saco* means 'sack', but in Latin America it means 'jacket'. So you can imagine what Spaniards might think when they hear about someone being 'elegantly dressed' in a *saco*...

D

Look up the following words in the dictionary and list them in the table below according to where they are used. (Some have more than one meaning: in this case, choose the meaning that refers to transport.)

Busque en el diccionario y complete la tabla.

> la taquilla • la parada • el carro • el paradero • el coche •
> la boletería

	España	**Latinoamérica**
bus	el autobús	la micro
ticket office		
car		
bus stop		

Vocabulary practice

One way to make sure you use a word appropriately is to learn it together with other words it usually occurs with.

1   Complete the gaps with the correct forms of the following verbs.

Rellene los espacios en blanco.

jugar • escuchar • montar • ver • navegar • hacer

(a) No (yo) _____ deporte muy a menudo.

(b) Los sábados (yo) _____ al golf.

(c) Mi hermano _____ a caballo.

(d) Mi marido siempre _____ las películas en versión original.

(e) Nosotros normalmente _____ música de los años 50.

(f) Mi hijo _____ por internet todos los días.

2   Try to memorize the six sentences above. Then record yourself reciting them aloud, without referring back. Play back your recording. Did you remember correctly?

Memorice y grábese en su cinta.

Léxico básico

andar	to walk	carro (el) (LAm)	car
autobús (el)	bus	metro (el)	underground
avión (el)	aeroplane	parada (la) (Sp)	bus stop
billete (el) (Sp)	ticket	taquilla (la) (Sp)	ticket office
boleto (el) (LAm)	ticket	tardar	to take (time)

Sesión 5
Mi rutina diaria

In this session you will practise talking about your everyday life.

Key learning points

*   Talking about daily routines
*   Using reflexive verbs

Actividad 5.1 🎧 _____

Isabel has friend called Jaime Fiz who works at the *Mundo de Levante* newspaper in Valencia. In this activity you will get an insight into Jaime's life.

1   Look at the following pictures and put them in the order in which you normally do them.

   Ordene los dibujos.

(a) Acostarse

(b) Desayunar

(c) Vestirse

(d) Hacer la compra

(e) Despertarse

(f) Ducharse

(g) Levantarse

(h) Comer/Cenar

2   Listen to Jaime Fiz talking about his normal day at work on *Pista 12*. While you listen, note down the times when the actions in step 1 take place. You may need to pause the CD occasionally.

   Escuche y escriba las horas.

3   Judging by the times he works, what do you think Jaime's occupation is? Choose from the following options.

   Escoja la opción correcta.

guardia de seguridad (el)
security guard

vendedor (el)
salesman

> secretario • vendedor de coches • guardia de seguridad • amo de casa

Actividad 5.2 🎧

REFLEXIVE VERBS

In Jaime's story, several of the verbs he uses are preceded by *me*. These are called reflexive verbs. You already know one verb that works like a reflexive verb: *llamarse*, as in *Me llamo Juan*. As well as changing the ending according to the person, reflexive verbs also need a reflexive pronoun: *me, te, se* (singular) and *nos, os, se* (plural).

> Me ducho. (I have a shower.)
>
> Te despiertas a las cinco. (You wake up at five o'clock.)

You can spot reflexive verbs in the dictionary because their infinitive always ends in *-se*, e.g. *ducharse, vestirse*.

LEVANTARSE	ACOSTARSE	DUCHARSE
me levanto	me acuesto	me ducho
te levantas	te acuestas	te duchas
se levanta	se acuesta	se ducha
nos levantamos	nos acostamos	nos duchamos
os levantáis	os acostáis	os ducháis
se levantan	se acuestan	se duchan

Remember, too, that not all verbs to talk about routines are reflexive! *Desayunar, comer, cenar, trabajar*, for example, are not reflexive. Remember that some common reflexive verbs are radical changing, such as *despertarse* (*me despierto*), *acostarse* (*me acuesto*) and *vestirse* (*me visto*).

G

To find out more, see the section *Reflexive verbs* in the grammar book.

1   Can you work out what the correct order for each sentence should be?

Ponga las palabras en orden.

agua (el *feminine*)
water

caliente
hot

(a) las – levanto – a – me – ocho

(b) con – ducho – me – agua – caliente

(c) rápidamente – visto – me

(d) me – tarde – acuesto

(e) amigos – con – mis – ceno

(f) tarde – acuesto – muy – me

2   Now it's your turn to be interviewed. Listen to *Pista 13* and answer the questions using the prompts.

Escuche y responda a las preguntas.

Español de bolsillo 🎧 (Pista 35)

¿A qué hora te levantas?   *What time do you get up?*

Me levanto a las ocho.   *I get up at 8.*

¿A qué hora te acuestas?   *What time do you go to bed?*

Me acuesto a las once.   *I go to bed at 11.*

Actividad 5.3 🎧

In this activity you are going to find out about a normal day in the life of two mothers, one Chilean and one Spanish.

1   Read the following statements, then read the text and decide whether they are true or false.

¿Verdadero o falso?

Evelyn Loeff, profesora de cocina

en casa
at home

cursos de
cocina (los)
*cookery
lessons*

nietos (los)
grandchildren

hasta
until

Evelyn es chilena y vive en Santiago. Es casada y tiene cuatro hijos. Trabaja en casa, da cursos de cocina. Por las mañanas Evelyn se levanta a las siete y desayuna con su familia. Luego, su esposo lleva a los nietos al colegio.

Ella empieza sus clases de cocina a las nueve y media y trabaja hasta las doce y media. A las tres menos cuarto recoge a los nietos del colegio. Por las tardes, a las seis empieza su segunda clase de cocina, y termina a las nueve.

	Verdadero	Falso
(a) Evelyn goes to work in the morning.	☐	☐
(b) She takes her grandchildren to school.	☐	☐
(c) She picks them up from school.	☐	☐
(d) In the evenings, she relaxes and cooks for the family.	☐	☐

2   Read the text again and write down what Evelyn does at the following times: 7.00, 9.30, 14.45, 18.00, 21.00.

Lea y escriba.

Ejemplo

A las siete se levanta.

3   Now listen to the interview with Teresa, a *valenciana*, on *Pista 14,* and find one similarity and one difference between her routine and Evelyn's.

Escuche y escriba una similitud y una diferencia.

Ejemplo

Similarity: They both cook.

Difference: Evelyn works
from home.

Español de bolsillo 🎧 **(Pista 36)**

¿Qué haces por las mañanas?   What do you do in the mornings?

Por las mañanas llevo a los niños al colegio.   In the mornings I take the children to school.

¿Qué haces por las tardes?   What do you do in the afternoons?

Por las tardes recojo a los niños del colegio.   In the afternoons I pick the children up from school.

EspejoCultural _____

Television is part of many people's daily lives.

1   Some of the TV characters you may know have different names in Spanish!
    Try matching the following characters with their names in Spanish. One has
    been done for you.

    Enlace los nombres.

(a)	Roadrunner	(i)	Piolín
(b)	Tweetie Pie	(ii)	Los pitufos
(c)	Fred Flintstone	(iii)	Correcaminos
(d)	Woody Woodpecker	(iv)	Carlitos
(e)	Charlie Brown	(v)	Pedro Picapiedra
(f)	The Smurfs	(vi)	El pájaro loco

2   TV schedules also vary between countries to suit lifestyle patterns. Fill in the
    following table with the times when these television programmes start
    where you live. Why do you think they start at the times they do in Spain?

    Complete la tabla.

Programa	Su país	España
el telediario		3:00 pm
la programación infantil		1:30 pm
el culebrón extranjero		3:30 pm

telediario (el)
news
culebrón (el)
soap opera
extranjero
foreign

Léxico básico

acostarse	*to go to bed*		ducharse	*to have a shower*
cenar	*to have dinner*		levantarse	*to get up*
curso (el)	*course (of lessons)*		llevar	*to take*
desayunar	*to have breakfast*		recoger	*to collect, pick up*
despertarse	*to wake up*		vestirse	*to get dressed*

Sesión 6
A la mesa

In this session you will learn about Spanish and Latin American eating habits and touch on the contemporary obsession with diets. You will also practise expressing frequency.

Key learning points

- Talking about eating habits
- Expressing frequency using adverbial expressions and *soler*

Actividad 6.1

Feeling hungry? Here is a traditional Spanish menu.

1   Complete the gaps in the menu with the words from the box.

Rellene los espacios en blanco con las palabras del recuadro.

> plato • cena • desayuno • primer • postre •
> merienda

El Horno de Valencia

Servimos/*We serve*

_____ (a) de 7 a 11/*breakfast from 7 to 11*

Comida de 1 a 4/*lunch from 1 to 4*

_____ (b) de 5 a 7/*"merienda" from 5 to 7*

_____ (c) de 8 a 12/*dinner from 8 to 12*

Plato del día/*Menu of the day*

_____ (d) plato: Ensalada o sopa de fideos/
First course: Salad or consommé with vermicelli

Segundo _____ (e): Merluza a la romana o filete de ternera/*Main course: Deep-fried breaded hake or steak*

_____ (f): fruta o flan de huevo/*Dessert: fruit or crème caramel*

Para beber: agua, cerveza o vino/
To drink: water, beer or wine

Precio/*Price*: **10 €**

LA MERIENDA

In Spain, *la merienda* is a light meal or snack usually eaten around five to seven o'clock, and designed to see people through until dinner time. A typical *merienda* is a sandwich, of which there are two types: a *bocadillo* is made with French bread and a *sandwich* with sliced bread. The bread used to make *sandwiches* is called *pan de molde*, but is usually referred to as *pan Bimbo*, after a brand of sliced bread.

2   Match the following foods to those you normally eat for each meal.

Enlace.

pescado (el)
fish

carne (la)
meat

dulce (el)
sweet pastry

tortilla (la) (Sp)
omelette

galletas (las)
biscuits

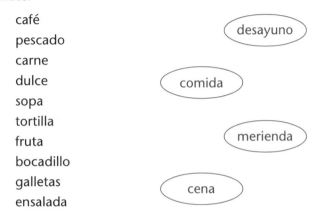

café
pescado
carne
dulce
sopa
tortilla
fruta
bocadillo
galletas
ensalada

desayuno

comida

merienda

cena

3   Listen to *Pista 15*, where you will hear about food and mealtimes in Spain. Then put the foods listed in step 2 into four categories (*desayuno, comida, merienda* and *cena*) according to what you hear. Some foods may be eaten at more than one meal.

Escuche y clasifique.

Ejemplo

Desayuno: café,…

Actividad 6.2 _____

In this activity you will learn how to express frequency.

EXPRESSING FREQUENCY (1)

The most common way of expressing frequency is by using expressions such as: *siempre* ('always'), *todos los días* ('every day'), *a menudo* ('often'), *a veces* ('sometimes'), *de vez en cuando* ('from time to time'), and *nunca* ('never'). These can go at the beginning or at the end of the sentence:

Bebo café todos los días.

A menudo bebo cerveza.

Note that when *nunca* is placed at the end of a sentence, a double negative is needed, so *no* must be placed before the verb:

Nunca bebo. = No bebo nunca.

CLÍNICA DELGADO
Paciente: Alejandro Panza
Régimen recomendado:

COMIDA	Primer plato	Segundo plato	Postre
Lunes	_____	Pescado	Fruta
Martes	Sopa	Carne	Fruta
Miércoles	Ensalada	Pasta	Fruta
Jueves	Sopa	Carne	Fruta
Viernes	Sopa	Carne	Fruta
Sábado	Ensalada	Carne	Fruta

Alejandro, one of the actors in the theatre company, goes to the doctor. She tells him to go on a diet (*un régimen*) every day except Sundays. Study his diet sheet and complete the gaps in the sentences below with one of the following expressions (some of them have similar meanings, for example *siempre* and *todos los días*, so try to use different ones).

Rellene los espacios en blanco.

> siempre • todos los días • a menudo • a veces • de vez en cuando • nunca

Ejemplo

A menudo come sopa.

(a) _____ come pescado.

(b) _____ come carne.

(c) _____ come ensalada.

(d) _____ come fruta.

(e) _____ come pasta.

(f) _____ come helado.

helado (el)
ice cream

Actividad 6.3 🎧 _____

arepa (la)
cornmeal roll

masa (la)
dough

maíz (el)
*sweetcorn,
corn on the cob*

1   Alejandro is listening to a programme on the radio about people's eating habits. Listen to *Pista 16* and say whether the following statements are true or false.

¿Verdadero o falso?

	Verdadero	Falso
(a) El uruguayo come arepa.	❑	❑
(b) El uruguayo suele tomar dos platos.	❑	❑
(c) El colombiano no come pan.	❑	❑
(d) El colombiano suele tomar dos platos.	❑	❑

EXPRESSING FREQUENCY (2)

Frequency can also be expressed using an adverb (e.g. *normalmente*, *generalmente*) or using the verb *soler* + infinitive, which is translated as 'usually':

Suelo comer pan. (I usually eat bread.)

Suelo beber vino en las comidas. (I usually drink wine at mealtimes.)

Solemos comer dos platos. (We usually eat two courses.)

Soler is mostly used in Spain. In most parts of Latin America, *acostumbrar* or *acostumbrar a* are used:

Acostumbro (a) beber vino en las comidas.

In Chile it is more common to say **Estoy acostumbrado/a a** *beber vino en las comidas.*

SOLER		ACOSTUMBRAR	
suelo	solemos	acostumbro	acostumbramos
sueles	soléis	acostumbras	acostumbráis
suele	suelen	acostumbra	acostumbran

2   The members of the theatre company discuss their eating habits. Fill in the gaps with the appropriate form of the verb *soler.*

Rellene los espacios en blanco.

(a) El cocinero _____ comer bien.

(b) (Tú) _____ merendar bocadillos.

(c) (Nosotros) _____ cenar en el restaurante.

(d) Los vegetarianos no _____ comer carne.

(e) (Yo) _____ desayunar en casa.

Actividad 6.4

Now it's time for you to check your diet! Make a list, in English, of five items of food and drink you haven't learnt yet and look them up in the dictionary. Then write five sentences in Spanish stating how often you eat those foods.

Escriba.

Ejemplos

No suelo comer coles de Bruselas.

Como tostadas todos los días.

Léxico básico

acostumbrar (a)	*'usually' (verb)*	ensalada (la)	*salad*	postre (el)	*dessert*
bocadillo (el)	*sandwich*	fruta (la)	*fruit*	soler	*'usually' (verb)*
carne (la)	*meat*	pescado (el)	*fish*	sopa (la)	*soup*
dulce (el)	*sweet pastry*	plato (el)	*course*	tortilla (la) (Sp)	*omelette*

Sesión 7
¿De parte de quién?

In this session Hernán, a colleague of Patricio's, is enquiring about one of his design projects on the telephone.

Key learning points

- Making a telephone call
- Telephone language

Actividad 7.1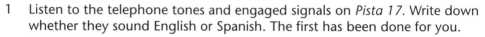

1 Listen to the telephone tones and engaged signals on *Pista 17*. Write down whether they sound English or Spanish. The first has been done for you.

Escuche y escriba.

(a) English phone ringing.

(b)

(c)

(d)

2 Listen to *Pista 18* and number the following places according to the order in which you hear them.

Escuche y ordene.

Teatro Cervantes ☐

Cine Roxy ☐

Ayuntamiento ☐

Muebles Pérez ☐

película (la)
film

pulse
press

novio (el)
boyfriend

Español de bolsillo 🎧 **(Pista 37)**

¡Dígame! (Sp)   Hello (literally, Tell me).

¿Sí?   Hello (literally, Yes?)

Al habla. (LAm)   Speaking.

¿Aló? (LAm)   Hello.

Diga. (Sp)   Hello (literally, Tell).

Actividad 7.2 🎧

Hernán Echevarría needs to speak to a *funcionario* in the *Ayuntamiento* about one of his architecture projects.

1 Read the list of frequently-used telephone expressions below and match them with the descriptions.

Lea y enlace.

(a) Sí, un momento, le paso.

(b) ¿De parte de quién?

(c) ¿Puedo hablar con el señor Gonzalo Reina?

(i) Asking to speak to a person.

(ii) Putting someone through.

(iii) Asking who is calling.

2 Now listen to the start of Hernán's conversation with a secretary on *Pista 19* and put the expressions from the previous step into the order you hear them used.

Escuche y ordene.

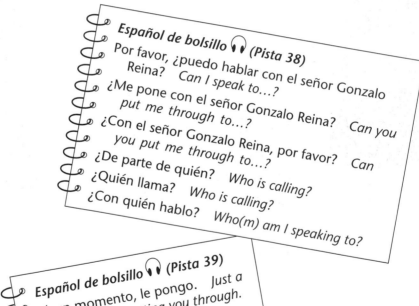

Español de bolsillo 🎧 (Pista 38)

Por favor, ¿puedo hablar con el señor Gonzalo Reina?   Can I speak to...?

¿Me pone con el señor Gonzalo Reina?   Can you put me through to...?

¿Con el señor Gonzalo Reina, por favor?   Can you put me through to...?

¿De parte de quién?   Who is calling?

¿Quién llama?   Who is calling?

¿Con quién hablo?   Who(m) am I speaking to?

Español de bolsillo 🎧 (Pista 39)

Sí, un momento, le pongo.   Just a second, I'm putting you through.

Sí, un momento, le paso.   Just a second, I'm putting you through.

Sí, enseguida.   Right away.

facultad (la)
faculty

Urgencias
*Accident and
Emergency*

3 Listen to *Pista 20* and ask to be put through to the person or place indicated. Use any of the first three expressions from *Español de bolsillo, Pista 38*.

Escuche y participe.

Actividad 7.3

Later that day, Hernán tries several times to contact Mariana Villalobos, a colleague in Chile.

más tarde
later

He has problems getting through. Below is a list of possible reasons. Listen to *Pista 21* and decide whether the following statements are true or false for each time he tries.

¿Verdadero o falso?

	Verdadero	Falso
(a) Tiene el número equivocado.	❑	❑
(b) La señora Villalobos no está.	❑	❑
(c) La señora Villalobos está comunicando.	❑	❑
(d) No tiene suficiente dinero.	❑	❑

Español de bolsillo (Pista 40)

Aquí no hay ninguna señora Villalobos.   There's no Señora Villalobos here.

Se ha equivocado de número.   You've got the wrong number.

Está comunicando.   The line's engaged.

En este momento no está.   S/he's not in right now.

¿Puedo dejar un mensaje?   Can I leave a message?

Actividad 7.4

Hernán can't contact Mariana, so he tries to get in touch with some other people. Complete the gaps using the words in the box.

Rellene los espacios en blanco con las palabras del recuadro.

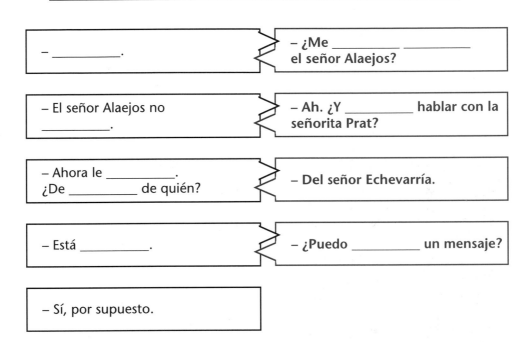

comunicando • con • pone • pongo • dejar • parte • está • puedo • dígame

– _____.

– ¿Me _____ _____ el señor Alaejos?

– El señor Alaejos no _____.

– Ah. ¿Y _____ hablar con la señorita Prat?

– Ahora le _____. ¿De _____ de quién?

– Del señor Echevarría.

– Está _____.

– ¿Puedo _____ un mensaje?

– Sí, por supuesto.

Léxico básico

aló (LAm)	*hello*
comunicar	*to be engaged (telephone)*
dejar (un recado, un mensaje)	*to leave (a message)*
dígame (Sp)	*hello (literally, tell me)*
enseguida	*right away*
equivocado	*wrong*
mensaje (el)	*message*
pasar	*to put…through*
poner	*to put…through*

Sesión 8
¿Qué tiempo hace?

Chile is a country of extreme climes, from the Atacama Desert to the glaciars in Patagonia. Spain, too, has a varied climate, Valencia being one of the most temperate areas, with a Mediterranean climate. In this session you will learn how to talk about the weather, the months of the year and the climate in different seasons.

Key learning points

- Talking about the weather

- Talking about months and seasons

Actividad 8.1

In this activity you are going to practise talking about the weather in Chile.

1   Look carefully at the weather map of Chile opposite. Then use the information to say whether the following statements are true or false.

¿Verdadero o falso?

	Verdadero	Falso
(a) Hoy hace sol en Iquique.	❑	❑
(b) Hoy hace sol en Santiago.	❑	❑
(c) Hoy está nublado en la Isla de Pascua.	❑	❑
(d) Hoy hay nieve en Antártida.	❑	❑
(e) Hoy hace sol en Temuco.	❑	❑

está nublado
it's cloudy
nieve (la)
snow

See also the section *Weather* in the grammar book.

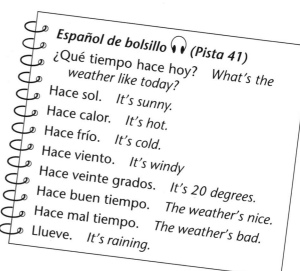

Español de bolsillo (Pista 41)
¿Qué tiempo hace hoy?   What's the weather like today?
Hace sol.   It's sunny.
Hace calor.   It's hot.
Hace frío.   It's cold.
Hace viento.   It's windy
Hace veinte grados.   It's 20 degrees.
Hace buen tiempo.   The weather's nice.
Hace mal tiempo.   The weather's bad.
Llueve.   It's raining.

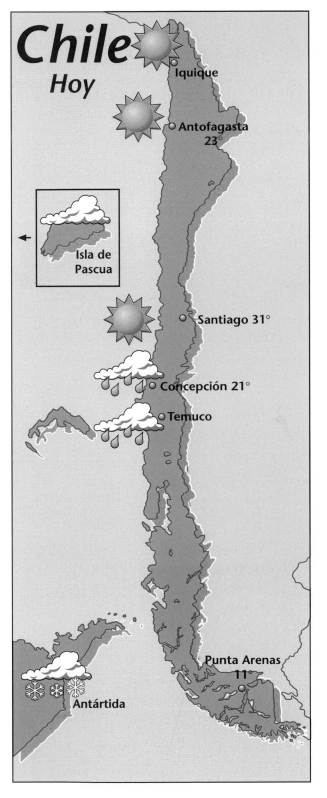

Chile Hoy

Iquique

Antofagasta 23°

Isla de Pascua

Santiago 31°

Concepción 21°

Temuco

Punta Arenas 11°

Antártida

2   Now look at the map again and answer the following questions, using the expressions from *Español de bolsillo, Pista 41*.

Observe y conteste.

Ejemplo

¿Qué tiempo hace hoy en Antofagasta?

Hoy en Antofagasta hace 23 grados.

Hoy en Antofagasta hace sol.

(a) ¿Qué tiempo hace hoy en Concepción?

(b) ¿Qué tiempo hace hoy en Santiago?

(c) ¿Qué tiempo hace hoy en Punta Arenas?

3   Now it's your chance to talk about the weather where you are. Listen to *Pista 22* and do the exercise.

Escuche y participe.

Actividad 8.2 🎧 _____

In this activity you will practise the months of the year and find out about the seasons in Spain and Latin America.

1   Isabel's granddaughter Paloma is doing a worksheet on the seasons (*las estaciones*). Mati, a schoolgirl in Santiago de Chile, is doing the same.

Match each picture with the correct season.

Enlace la palabra y el dibujo.

(a) verano   (b) invierno   (c) primavera   (d) otoño

      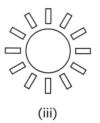   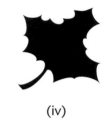

(i)   (ii)   (iii)   (iv)

2   Complete the blank spaces with the correct names of the seasons. Remember that each country is in a different hemisphere.

Rellene los espacios en blanco.

(a) En junio, julio y agosto...

   ... en Chile es _____ .

   ... en España es _____ .

(b) En diciembre, enero y febrero...

   ... en Chile es _____ .

   ... en España es _____ .

(c) En septiembre, octubre y noviembre...

   ... en Chile es _____ .

   ... en España es _____ .

(d) En marzo, abril y mayo...

   ... en Chile es _____ .

   ... en España es _____ .

3   Now write a list of the months, starting with *enero*, and learn them by heart.

Escriba una lista y memorice.

más deprisa	4	At Paloma's school the younger children are playing a game. Listen to *Pista 23* and join in the game by saying the correct month in the sequence.
faster		

Escuche y complete la secuencia.

Actividad 8.3

In this activity you will practise your pronunciation and learn how to associate words by groups.

1   Listen to the dialogue in *Pista 24* and then answer the following questions about the weather in Valencia.

Escuche y responda.

(a) ¿Qué tiempo hace en invierno?

(b) ¿Llueve mucho?

(c) ¿Qué tiempo hace en verano?

2

> **PRONUNCIATION: DIPHTHONGS**
>
> When two vowels sit together in a syllable, they may either stand separately in two syllables, as in *día* (dí-a), or they may both be part of the same syllable, as in *jueves* or *miércoles* (jue-ves, miér-co-les). When two vowels form part of one syllable it is called a diphthong.
>
> When pronouncing diphthongs, care must be taken not to separate the vowel sounds, which should both run together.

Listen to *Pista 24* again. You will hear the words listed below. Tick those which have a diphthong.

Escuche y marque con una cruz.

(a) tiempo   ❑   (c) invierno   ❑   (e) llueve   ❑
(b) Valencia   ❑   (d) frío   ❑

3   Read the transcript aloud, trying to pronounce the diphthongs correctly. Now listen again, pause and repeat each sentence, making sure you are not separating the diphthong into two syllables.

Escuche y repita.

4   Now answer the same questions from step 1 about the weather where you live.

Conteste.

Enpocas**palabras**

Vocabulary learning strategies: learning through association

In the table below, make two lists of words or expressions that you associate with summer and two that you associate with winter. The first list should be words relating to the weather and the second words relating to seasonal leisure activities.

Haga listas.

☀ Verano		❄ Invierno	
Tiempo	**Actividades**	**Tiempo**	**Actividades**
hace calor	ir a la playa	nieva	ir al cine
...	...	...	...

Diario hablado – your daily routine

1   Record yourself narrating your own daily routine, without referring back to the book or any notes you may have taken.

Grábese en su cinta.

2   Now listen to what you have recorded. Decide how well you have used the vocabulary you know, and whether your account sounds spontaneous and natural and your pronunciation and intonation sound convincing. Look up any words you could not remember.

Escuche y compruebe.

3   Now repeat steps 1 and 2. Does it sound better this time?

Repita.

Léxico básico

calor (el)	*heat*	nevar	*to snow*
estación (la)	*season*	nublado	*cloudy*
frío (el)	*cold*	otoño (el)	*autumn*
grado (el)	*degree*	primavera (la)	*spring*
invierno (el)	*winter*	sol (el)	*sun*
llover	*to rain*	verano (el)	*summer*
mes (el)	*month*	viento (el)	*wind*

Sesión 9

Repaso

This session is designed to help you revise the language that you have learned so far in this unit.

EL CÓMIC

Complete the dialogue using appropriate verbs.

Observe y escriba.

(a) – Perdone, ¿qué le _____ hacer en su tiempo libre?

(b) – ¿Le gusta _____ al fútbol?

– No.

– ¿Le gusta _____ en bicicleta?

– No.

(c) – Entonces, ¿qué le gusta _____?

– ¡Me gusta _____ libros sin interrupciones!

CRUCIGRAMA

Complete the crossword. You do not need to worry about accents.

Complete el crucigrama.

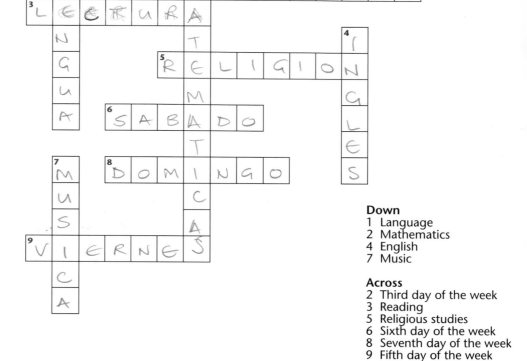

Down
1 Language
2 Mathematics
4 English
7 Music

Across
2 Third day of the week
3 Reading
5 Religious studies
6 Sixth day of the week
8 Seventh day of the week
9 Fifth day of the week

EL PEDANTE

Here are four shop window signs, each of which contains two mistakes in the verbs and time expressions. Correct them as appropriate.

Corrija.

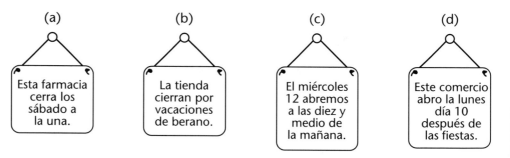

(a)
Esta farmacia cerra los sábado a la una.

(b)
La tienda cierran por vacaciones de berano.

(c)
El miércoles 12 abremos a las diez y medio de la mañana.

(d)
Este comercio abro la lunes día 10 después de las fiestas.

MI GRAMÁTICA: Irregular and radical changing verbs

Practise conjugating irregular and radical changing verbs in the present tense by completing the following table.

Complete la tabla.

	empezar	volver	tener	salir	ir	acostarse
(yo)	empiezo	vuelvo	tengo	salgo	voy	me acuesto
(tú)	empiezas	vuelves	tienes	sales	vas	te acuestas
(él/ella/Ud.)	empieza	vuelve	tiene	sale	va	se acuesta
(nosotros, -as)	empezamos	volvemos	tenemos	salimos	vamos	nos acostamos
(vosotros, -as)	empiezans	vuelven	tenéis	salíss	vais	os acostáis
(ellos/ellas/Uds.)	empiezan	vuelvan	tienen	salen	van	se acuestan

UNA IMAGEN VALE MÁS QUE MIL PALABRAS

Complete the gaps with the appropriate verbs, using the picture prompts.

Complete el texto.

Me (a) _____ 🕐 a las 7 de la mañana, y me

(b) _____ 🛏 a las 7 y media. Suelo (c) _____ ☕ a las 8.

Voy al trabajo; suelo (d) _____ 🍽 allí. Después del trabajo

(e) ____ ____ ____ 🛒. Los jueves voy al gimnasio. Después me

(f) _____ 🚿 y me (g) _____ 👖 y vuelvo a casa.

Normalmente me (h) _____ 🛏 pronto. ¡Buenas noches!

TEST CULTURAL

Read the following sentences about cultural facts that have featured in this unit, and in each case decide which option is correct.

Lea y decida.

(a) El sitio donde venden la bebida típica de Valencia es…
   (i) la zapatería   (ii) la horchatería   (iii) la cafetería

sin
without

(b) El periodo sin clases en medio del día es…
   (i) el medio ambiente   (ii) la lengua   (iii) el recreo

(c) En España las noticias del telediario son normalmente…

(i) a las cinco   (ii) a las tres   (iii) a las seis

(d) En Chile el autobús se llama…

(i) colectivo   (ii) guagua   (iii) micro

(e) En España para merendar es normal tomar…

(i) un bocadillo   (ii) un ensalada   (iii) sopa

CANCIONERO

You are going to hear a popular rhyme that children in Spain sing when it rains.

1   Listen to *Pista 25*. Do you have a similar rhyme in English?

Escuche.

2   Read the transcript of the rhyme, along with the translation. Listen to it again and try to recite it in the way you hear it, paying attention to the intonation and pronunciation.

Lea, escuche y repita.

DOCUMENTAL

campanero (el)
bell-ringer

campanario (el)
bell-tower

cultivar
to cultivate,
to foster

tocar
to play (an
instrument)

loco
crazy

pólvora (la)
gunpowder

Now you are going to listen to another programme in the documentary series *En portada*. In this programme you are going to find out about the routine of the bell-ringer at the famous bell-tower in Valencia, *el Miguelete,* or *Micalet* in Valencian.

Listen to *Pista 26* and answer the following questions in English.

Conteste en inglés.

(a) What other job does Francesc have?

(b) What does Francesc do on a normal working day?

(c) What does Francesc do on a *fiesta* day?

(d) What is interesting about the bells?

Sesión 10
¡A prueba!

This session consists of a self-assessment test which will give you an idea of the progress you have made throughout this unit. In the *Clave* you will find answers and explanations.

Part A

Test your vocabulary

1 Look at the groups of words below. Cross the odd one out in each case.

Tache la palabra intrusa.

(a) museo • biblioteca • panadería • ayuntamiento

(b) marzo • martes • jueves • domingo

(c) jugar al fútbol • esquiar • ir al trabajo • salir con los amigos

(d) primer plato • menú • segundo plato • postre

(e) frío • calor • verano • viento

2 Fill in the gaps with the correct word from the box below.

Complete el texto con las palabras del recuadro.

> biblioteca • asignaturas • bocadillo • verano • merienda •
> ayuntamiento • deberes • primavera • estanco

(a) La _____ abre de 9 a 6.

(b) Hago los _____ todas las noches.

(c) En el _____ venden tabaco.

(d) Normalmente como la _____ a las seis.

(e) Cuando llega la _____ hay flores.

Test your grammar

1 Fill in the gaps with the appropriate form of the verb.

Escriba el verbo en la forma correcta.

(a) Juan (ducharse) _____ con agua fría.

(b) Marisa, ¿a qué hora (levantarse) _____ para ir a la universidad?

(c) Yo (levantarse) _____ a las ocho de la mañana.

(d) Yo (acostarse) _____ a las ocho de la noche.

(e) El niño (vestirse) _____ solo.

2 Fill in the gaps with the appropriate form of the verb.

Escriba el verbo en la forma correcta.

– Juan, ¿cómo (a) _____ (ir) normalmente al trabajo?

– Normalmente (b) _____ (ir) andando. Vivo muy cerca.

– Y, ¿qué haces los lunes en el gimnasio?

– (c) _____ (hacer) aeróbic. Me gusta mucho.

– Y los martes, ¿qué haces?

– (d) _____ (dar) un paseo por el parque.

– Los fines de semana, ¿sales con los amigos?

– No, no (e) _____ (salir) con los amigos. Leo libros.

3 Fill in the gaps with the appropriate form of the verb *gustar,* including the pronoun.

Escriba el verbo 'gustar' en la forma correcta.

(a) En verano Juan siempre monta en bicicleta. _____ mucho montar en bicicleta.

(b) A María José _____ mucho bailar.

(c) Pedro, ¿qué _____ hacer durante las vacaciones? (*informal*)

(d) ¿ _____ ir a la piscina? (tú)

(e) No _____ jugar al fútbol. (yo)

4 Fill in the gaps with the appropriate form of the verb.

Escriba el verbo en la forma correcta.

(a) Las tiendas _____ (abrir) a las diez.

(b) El bar _____ (cerrar) a las cuatro de la mañana.

(c) Los niños _____ (jugar) al fútbol en el recreo.

(d) Nosotros _____ (querer) ir al concierto.

(e) Yo normalmente _____ (volver) a casa a las cinco.

Part B

Test your listening skills

1 Read the following sentences telling you what Gerardo, *un santiaguino*, does in an ordinary week. Then listen to him on *Pista 27* and number them in the order you hear them. Note that these are not all the sentences he says.

Ordene las frases.

(a) Doy un paseo por el parque.　　　❑

(b) Salgo de casa.　　　❑

(c) Voy en auto con un amigo.　　　❑

(d) Voy al trabajo en metro.　　　❑

(e) Vuelvo a casa.　　　❑

2 Listen again, paying particular attention to the times and expressions of time used with the phrases in step 1. Then answer the following questions.

Escuche otra vez y conteste.

(a) ¿Qué días de la semana va al trabajo en metro?

(b) ¿A qué hora sale de casa?

(c) ¿Qué días de la semana va en auto?

(d) ¿A qué hora vuelve a casa?

(e) ¿Qué día de la semana da un paseo por el parque?

Part C

Test your speaking skills

Imagine you live in Valencia. Talk about what you usually do during the week. Include some reference to work and some reference to free time. Mention at least five things you do.

The following table may help you to structure your ideas more clearly.

Grábese en su cinta.

¿Qué haces?	¿Qué día de la semana? ¿A qué hora?
...	...

Part D

Test your communicative skills

1   Listen to Carmen talk about her daily routine on *Pista 28* and make a note of the times she does the actions listed in the following table.

Escuche y tome apuntes.

Hora de	Carmen	Yo
levantarse		
ducharse		
ir al trabajo / salir de casa		
comer		
acostarse		

2   Now use the table to fill in the times when you do those actions yourself.

Escriba.

3   Imagine you share a flat with Carmen. Record yourself describing her daily routine using the table above. Then describe your own daily routine, based on the times you have noted in the table.

Grábese en su cinta.

Clave

Actividad 1.1

1 bibloteca – *library*, ayuntamiento – *town hall*, museo – *museum*, banco – *bank*, Correos – *post office*, tienda de ropa – *clothes shop*, panadería – *baker's*, estanco – *tobacconist's*, librería – *bookshop*, supermercado – *supermarket*, farmacia – *chemist*.

2 The shops and establishments mentioned are: *bancos, ayuntamientos, museos, bibliotecas, Correos, tiendas de ropa, panaderías, zapaterías, librerías, supermercados, farmacias*.

Actividad 1.2

1

ESTABLECIMIENTOS	Mañana		Tarde	
	Abre	Cierra	Abre	Cierra
(a) la horchatería	9:00	—	—	7:30 u 8:00
(b) un kiosco de la ONCE	8:00	1:30	—	—
(c) el bar	11:00	—	—	12:00

Actividad 1.3

1 (a) emp**ie**zas, (b) j**ue**ga, (c) qu**ie**re, (d) v**ue**lve, (e) c**ie**rra.

2 (b) juegan, (c) quieren, (d) vuelven, (e) cierran.

Actividad 1.4

1 (a) La farmacia La Curandera abre a las nueve de la mañana y cierra a las ocho de la tarde.

(b) El restaurante El Pinchín abre a las siete de la mañana y cierra a la una de la tarde.

(c) La tienda de ropa Modas O'Higgins abre a las ocho y media de la mañana y cierra a las siete de la tarde.

2 Here is a possible answer:

Los bancos abren a las ocho y media y cierran a las cinco.

Las farmacias abren a las nueve y cierran a las seis.

Los supermercados abren veinticuatro horas.

Correos abre a las ocho y cierra a las seis.

El ayuntamiento abre a las nueve y cierra a las cinco.

Actividad 2.1

1 The correct order is: *lunes, martes, miércoles, jueves, viernes, sábado, domingo*.

2 (a) Laura – ocho años – el viernes.

(b) Noelia – nueve años – (el) sábado.

(c) Estefanía – ocho años – (el) viernes.

(d) Edgar – nueve años – el lunes.

Actividad 2.2

1 (a) los miércoles, (b) matemáticas, (c) los martes, (d) música y guitarra.

2 (a) Verdadero, (b) Falso ("los lunes"), (c) Verdadero, (d) Falso ("los martes y los viernes"), (e) Verdadero.

3 (a) tengo, (b) voy, (c) hago, (d) salgo, (e) vengo, (f) doy, (g) estoy, (h) pongo.

Actividad 2.3

2 Here is a possible answer:

Los lunes hago yoga. Los martes tengo clase de japonés. Los miércoles voy al cine. Los jueves veo la tele. Los viernes salgo con mis amigos. Los sábados doy un paseo. Los domingos descanso.

Actividad 3.1

1 Here is a possible answer:
(a) – 3, (b) – 1, (c) – 2.

2 (a) escuchar música, (b) ver la tele, (c) jugar al fútbol, (d) montar en bicicleta, (e) leer libros, (f) navegar por internet, (g) hacer deporte.

Actividad 3.2

1 The activities mentioned are: *jugar al fútbol, escuchar música, salir con los amigos, hacer deporte, cantar, bailar, ir al cine, leer* (and *comer*).

The most popular activities are (*jugar al*) *fútbol* (mentioned three times) and *cantar* and *salir con los amigos* (each mentioned twice).

Actividad 3.3

1 ¿Te gusta montar en bicicleta? ¿Te gusta hacer piragüismo? ¿Te gusta montar a caballo?

2 Here is a possible answer:

Me gusta montar en bicicleta. Me gusta hacer piragüismo. No me gusta montar a caballo.

3 (a) Me gusta bailar.

(b) Le gusta navegar por internet.

(c) Le gusta leer libros.

(d) Nos gusta jugar al fútbol.

(e) Les gusta ir al cine.

Actividad 3.4

Here is a possible answer:

Me gusta jugar al rugby, me gusta estudiar español, me gusta navegar por internet, me gusta leer novelas y me gusta viajar.

No me gusta jugar al tenis, no me gusta cocinar, no me gusta pasear por la noche, no me gusta leer poesía y no me gusta hablar de mis gustos.

Actividad 4.1

(a) Falso ("tiene tres"), (b) Verdadero, (c) Falso ("algunas estaciones"), (d) Verdadero.

Actividad 4.2

1 (a) Normalmente voy a la universidad **en coche**.

(b) Andando. Voy andando, **a pie**.

(c) Yo, voy al trabajo **andando**.

(d) Voy al trabajo **en metro**.

(e) Al trabajo voy **en autobús**.

(f) **En colectivo**.

Actividad 4.3

1 En autobús: media hora; en metro: 15 minutos; en taxi: 10 minutos; en coche: 40 minutos.

2 (a) Juan va al trabajo a pie. Normalmente tarda 20 minutos.

(b) Selma va al trabajo en metro. Normalmente tarda 15 minutos.

(c) Alberto va al trabajo en taxi. Normalmente tarda 5 minutos.

Actividad 4.4

Here is a possible answer:

(a) Voy al supermercado en coche. Tardo 20 minutos.

(b) Voy al centro a pie. Tardo cinco minutos.

(c) Voy a visitar a la familia en tren. Tardo tres horas.

(d) Voy de vacaciones en avión. Tardo dos horas.

Enpocas**palabras**

Dictionary skills

	España	Latino-américa
bus	el autobús	la micro
ticket office	la taquilla	la boletería
car	el coche	el carro
bus stop	la parada	el paradero

Vocabulary practice

1 (a) No **hago** deporte muy a menudo.

(b) Los sábados **juego** al golf.

(c) Mi hermano **monta** a caballo.

(d) Mi marido siempre **ve** las películas en versión original.

(e) Nosotros normalmente **escuchamos** música de los años 50.

(f) Mi hijo **navega** por internet todos los días.

Actividad 5.1

1 Here is a possible answer:
(e), (g), (f), (c), (b), (d), (h), (a).

2 The correct times are: (a) 9 am, (b) 6 pm, (c) between 5 and 6 pm, (d) 7 pm, (e) 5 pm, (f) between 5 and 6 pm, (g) between 5 and 6 pm, (h) 10 pm.

3 Guardia de seguridad.

Actividad 5.2

1 (a) Me levanto a las ocho. / A las ocho me levanto.

(b) Me ducho con agua caliente.

(c) Me visto rápidamente.

(d) Me acuesto tarde.

(e) Ceno con mis amigos.

(f) Me acuesto muy tarde.

Actividad 5.3

1 (a) Falso ("trabaja en casa"), (b) Falso ("su esposo lleva a los nietos al colegio"), (c) Verdadero, (d) Falso ("a las seis empieza su segunda clase de cocina").

2 **A las nueve y media** empieza las clases de cocina. **A las tres menos cuarto** recoge a los nietos del colegio. **A las seis** empieza su segunda clase de cocina. **A las nueve** termina su segunda clase de cocina.

3 **Similarity**: They both pick up their children from school.

Differences: Evelyn doesn't take her children to school. Evelyn works in the evenings.

EspejoCultural

1 (a) – (iii), (b) – (i), (c) – (v), (d) – (vi), (e) – (iv), (f) – (ii).

2 This is relative, since with so many channels available programme times vary, but traditionally these are the scheduled times in Spain. The *telediario* coincides with lunchtime, and it is followed by the

culebrón extranjero, which occupies the afternoon slot. The *programación infantil* starts when children return home from school.

Programa	Su país	España
el telediario	6:00 pm	3:00 pm
la programación infantil	3:30 pm	1:30 pm
el culebrón extranjero	5:30 pm	3:30 pm

Actividad 6.1

1 (a) desayuno, (b) merienda, (c) cena, (d) primer, (e) plato, (f) postre.

3 **Desayuno**: café, galletas.

Comida: fruta, sopa, carne, pescado, dulce, café.

Merienda: bocadillo, dulce.

Cena: tortilla, ensalada.

Actividad 6.2

Here is a possible answer:

(a) **De vez en cuando** (*or*) **a veces** come pescado.

(b) **A menudo** come carne.

(c) **De vez en cuando** (*or*) **a veces** come ensalada.

(d) **Siempre** (*or*) **todos los días** come fruta.

(e) **De vez en cuando** (*or*) **a veces** come pasta.

(f) **Nunca** come helado.

Actividad 6.3

1 (a) Falso (*the Colombian eats arepas*), (b) Verdadero, (c) Verdadero, (d) Falso ("En mi país se suele tomar un solo plato").

2 (a) suele, (b) sueles, (c) solemos, (d) suelen, (e) suelo.

Actividad 6.4

Here is a possible answer:

No suelo comer espárragos. Tomo patatas fritas a menudo. De vez en cuando como pescado. Suelo tomar té después de la comida. Tomo leche todos los días.

Actividad 7.1

1 (b) Spanish phone ringing.

(c) English engaged signal.

(d) Spanish engaged signal.

2 The correct order is: Muebles Pérez, Teatro Cervantes, Ayuntamiento, Cine Roxy.

Actividad 7.2

1 (a) – (ii), (b) – (iii), (c) – (i).

2 The correct order is: (c), (b), (a).

Actividad 7.3

(a) Verdadero, (b) Falso (*she's engaged*), (c) Falso (*she's not there*), (d) Verdadero.

Actividad 7.4

– **Dígame**.

– ¿Me **pone con** el señor Alaejos?

– El señor Alaejos no **está**.

– Ah. ¿Y **puedo** hablar con la señorita Prat?

– Ahora le **pongo**. ¿De **parte** de quién?

– Del señor Echevarría.

– Está **comunicando**.

– ¿Puedo **dejar** un mensaje?

– Sí, por supuesto.

Actividad 8.1

1 (a) Verdadero, (b) Verdadero, (c) Verdadero, (d) Verdadero, (e) Falso (*it's raining in Temuco*).

2   Here are some possible answers:

(a) Hoy llueve en Concepción.
     Hoy en Concepción hace 21 grados.

(b) Hoy en Santiago hace sol.
     Hoy en Santiago hace calor.
     Hoy en Santiago hace 31 grados.

(c) Hoy en Punta Arenas hace frío.
     Hoy en Punta Arenas hace 11 grados.

Actividad 8.2

1   (a) – (iii), (b) – (i), (c) – (ii), (d) – (iv).

2   (a) En Chile es **invierno**. En España es
     verano.

(b) En Chile es **verano**. En España es
     invierno.

(c) En Chile es **primavera**. En España es
     otoño.

(d) En Chile es **otoño**. En España es
     primavera.

Actividad 8.3

1   (a) No hace mucho frío.

(b) No, no llueve mucho.

(c) Hace mucho calor, mucho sol.

2   Four of them have diphthongs:
    (a) *tiempo*, (b) *Valencia*, (c) *invierno*,
    (e) *llueve*.

4   Here is a possible answer:

(a) En invierno hace frío con lluvia y de
     vez en cuando hay nieve.

(b) Sí, llueve mucho, especialmente en
     invierno y primavera.

(c) En verano a veces hace mucho
     calor.

Enpocas**palabras**

Vocabulary learning strategies

Here is a possible answer:

Verano		Invierno	
Tiempo	**Actividades**	**Tiempo**	**Actividades**
hace calor	ir a la playa	nieva	ir al cine
hace sol	correr	llueve	ir de compras
hace 30 grados	pasear	hace frío	leer libros
hay tormenta	ir a la piscina	hace viento	navegar por internet
	nadar	hay niebla	ver la televisión
	hacer deporte		ir al gimnasio

Diario hablado

1 Here is a possible answer:

Me levanto a las seis y media, me ducho, me visto y desayuno. Llevo a los niños al colegio y vuelvo a casa. Limpio la casa y veo la televisión. A veces voy de compras. A las tres salgo de casa y recojo a los niños. Hago la cena y acuesto a los niños a las nueve. Por la noche leo libros y me acuesto pronto, excepto los viernes por la noche. Los viernes voy al centro con mis amigas y hablamos de todo.

SESIÓN 9

EL CÓMIC

(a) – Perdone, ¿qué le **gusta** hacer en su tiempo libre?

(b) – ¿Le gusta **jugar** al fútbol?

– No.

– ¿Le gusta **montar** en bicicleta?

– No.

(c) – Entonces, ¿qué le gusta **hacer**?

– ¡Me gusta **leer** libros sin interrupciones!

CRUCIGRAMA

Note that the words are shown without accents.

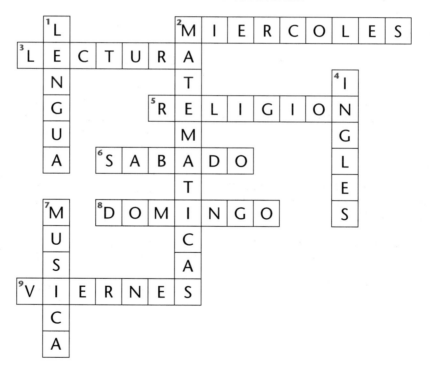

EL PEDANTE

(a) Esta farmacia **cierra** los **sábados** a la una.

(b) La tienda **cierra** por vacaciones de **verano**.

(c) El miércoles 12 **abrimos** a las diez y **media** de la mañana.

(d) Este comercio **abre el** lunes día 10 después de las fiestas.

MI GRAMÁTICA

	empezar	volver	tener	salir	ir	acostarse
(yo)	empiezo	vuelvo	tengo	salgo	voy	me acuesto
(tú)	empiezas	vuelves	tienes	sales	vas	te acuestas
(él/ella/Ud.)	empieza	vuelve	tiene	sale	va	se acuesta
(nosotros, -as)	empezamos	volvemos	tenemos	salimos	vamos	nos acostamos
(vosotros, -as)	empezáis	volvéis	tenéis	salís	vais	os acostáis
(ellos/ellas/Uds.)	empiezan	vuelven	tienen	salen	van	se acuestan

UNA IMAGEN VALE MÁS QUE MIL PALABRAS

(a) despierto, (b) levanto, (c) desayunar, (d) comer, (e) hago la compra, (f) ducho, (g) visto, (h) acuesto.

TEST CULTURAL

(a) – (ii), (b) – (iii), (c) – (ii), (d) – (iii), (e) – (i).

CANCIONERO

1 A similar rhyme in English is: 'Rain, rain,/ Go to Spain,/Never show,/Your face again.'

DOCUMENTAL

(a) He is a public sector employee (*funcionario*).

(b) In the morning he works in an office and in the evening he pursues his interest in bell-ringing on the Internet.

(c) He rings the bells in the morning, at midday and in the afternoon/evening.

(d) They all have names (girls' and boys').

SESIÓN 10

Part A

Test your vocabulary

(a) Panadería. (*The others are public buildings.*)

(b) Marzo. (*The others are days of the week.*)

(c) Ir al trabajo. (*The others are leisure activities.*)

(d) Menú. (*The others are courses.*)

(e) Verano. (*The others describe weather conditions.*)

2 (a) biblioteca, (b) deberes, (c) estanco, (d) merienda, (e) primavera.

Test your grammar

1 (a) se ducha (*3rd person singular*), (b) te levantas (*2nd person singular*), (c) me levanto (*1st person singular*), (d) me acuesto (*1st person singular*), (e) se viste (*3rd person singular*).

2 (a) vas (*2nd person singular*), (b) voy (*1st person singular*), (c) hago (*1st person singular*), (d) doy (*1st person singular*), (e) salgo (*1st person singular*).

3 (a) le gusta, (b) le gusta, (c) te gusta, (d) te gusta, (e) me gusta.

4 (a) abren (*3rd person plural*), (b) cierra (*3rd person singular*), (c) juegan (*3rd person plural*), (d) queremos (*1st person plural*), (e) vuelvo (*1st person singular*).

Part B

Test your listening skills

1 The correct order is: (d), (b), (c), (e), (a).

2 (a) Va al trabajo en metro **los lunes** y **los martes**.

(b) Sale de casa **a las ocho**.

(c) Va en auto **los miércoles, jueves** y **viernes**.

(d) Vuelve a casa **cerca de las siete**, pero a veces vuelve **más tarde**.

(e) **Los domingos** da un paseo por el parque.

Part C

Test your speaking skills

Here is a possible answer, although yours is probably very different.

Your explanation should be in the first person and it should include some work and some leisure activities, including days and times when you do them.

¿Qué haces?	¿Qué día de la semana? ¿A qué hora?
vivir en Valencia	
ir andando al trabajo	
tomar horchata	por la tarde
volver a casa	ocho de la tarde
hacer gimnasia	por la mañana
salir con amigos	sábados por la tarde

Vivo en Valencia. Vivo muy cerca del trabajo. Normalmente voy andando al trabajo. Suelo tomar una horchata por la tarde. Los lunes y los martes vuelvo a casa con un amigo en coche. Vuelvo a casa sobre las ocho de la tarde. Los fines de semana hago footing en el parque por la mañana y los sábados por la tarde salgo con los amigos.

Part D

Test your communication skills

Hora de	Carmen	Yo
levantarse	06:00	8:00
ducharse	06:30	8:30
ir al trabajo	07:30	9:00
comer	14:00 (2 pm)	12:00
acostarse	23:00 (11 pm)	22:30

2 You could have different times. The times suggested here are those used in the model answer in step 3.

3 Your report about Carmen should be in the third person:

Carmen se levanta a las seis de la mañana, se ducha a las seis y media y va al trabajo a las siete y media. Come a las dos. Se acuesta a las once de la noche.

Your account should be in the first person and you should try to cover all the activities mentioned in the table. The following is a possible answer:

Me levanto a las ocho, me ducho y desayuno a las ocho y media. Voy al trabajo a las nueve y como en el trabajo a las doce del mediodía. Me acuesto a las diez y media.

2

De vacaciones

This unit explores some of the spectacular tourist attractions in Chile, from mountain ski stations in the Andes to Pacific beach resorts. You will find out about different types of tourist accommodation and the transport systems that link everything together, and you will also take a quick look at indigenous arts and crafts. Finally, back in Spain, you will see what the huge Mercado Central in Valencia has to offer.

Throughout, you will acquire the language to plan and undertake a trip. This will involve talking about possibilities, making comparisons between places and expressing the advantages and disadvantages of each. In addition, you will make arrangements by phone, buy train tickets, book hotel rooms – and complain if they are not up to scratch

OVERVIEW: DE VACACIONES

Session	Language points	Vocabulary
1 ¿Adónde vamos?	• Comparing places • Using comparatives	Natural beauty spots, outdoor and sporting pursuits: *el balneario, esquiar, el buceo,* etc.
2 ¿Te apetece ir?	• Introducing yourself and asking for someone on the phone • Making and accepting invitations	Telephone phrases and nightlife: *soy yo, la ópera, reservar,* etc.
3 La reserva	• Booking a room • Expressing dates • Asking about facilities and types of room	Types of accommodation and dates: *la habitación, la pensión, la reserva,* etc.
4 Esto no funciona	• Talking about things that do not work properly • Making simple polite requests	Furnishings and appliances in hotels, and faults and breakdowns: *el aire acondicionado, la calefacción, la bombilla,* etc.
5 Viajeros al tren	• Finding out about types of ticket and costs • Finding out about times and durations of journeys • Buying a ticket	Train journeys, timetable information and types of ticket: *la salida, la llegada, de ida y vuelta,* etc.
6 La cesta de la compra	• Vocabulary for food • Asking the price of products • Buying food in a market	Fruit, vegetables, fish and meat, and market stalls: *la manzana, la carnicería, la frutería,* etc.
7 ¡Más que bueno, mejor!	• Revision of comparison of adjectives • Comparison of nouns • Stating preferences	Characteristics of major cities: *el/la habitante, la población, la temperatura,* etc.
8 Lo bueno y lo malo	• Expressing advantages and disadvantages • Using connectors to express contrast	Aspects of working life: *ganar (dinero), el ama de casa, el estrés,* etc.
9 Repaso	Revision	
10 ¡A prueba!	Test yourself	

Cultural information	Language learning tips
Tourist destinations in Chile.	
Differences in telephone language between Spain and Chile. El Teatro Municipal de Santiago.	Pronunciation: running words.
Visitor accommodation in Chile.	
How to make complaints appropriately. Consumer associations.	Use of written accents to differentiate words. Pronunciation: intonation of complaints.
Transport systems in Chile and Spain.	
Shopping practices in the Hispanic world.	
Tourist destinations in the Hispanic world.	
Traditional arts and crafts in Chile.	Making word lists associated with particular situations.

Sesión 1

¿Adónde vamos?

In this session you will meet some Chileans deciding where to go skiing. They have a choice between two of Chile's most famous ski resorts, which attract thousands of visitors each year.

Key learning points

- Comparing places
- Using comparatives

Actividad 1.1

Marta, one of Isabel's Chilean colleagues, is keen to take her skiing. She is talking to some of her friends in a chat room.

1   Read the conversation and underline the places suggested.

Lea y subraye.

laguna (la)
lagoon

termas (las)
hot springs, baths

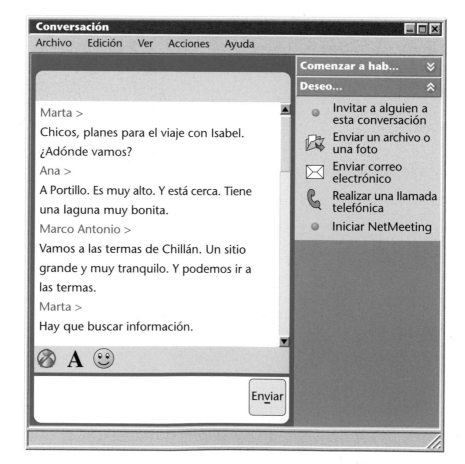

Conversación

Archivo   Edición   Ver   Acciones   Ayuda

Comenzar a hab...

Deseo...

Marta >
Chicos, planes para el viaje con Isabel.
¿Adónde vamos?

Ana >
A Portillo. Es muy alto. Y está cerca. Tiene una laguna muy bonita.

Marco Antonio >
Vamos a las termas de Chillán. Un sitio grande y muy tranquilo. Y podemos ir a las termas.

Marta >
Hay que buscar información.

- Invitar a alguien a esta conversación
- Enviar un archivo o una foto
- Enviar correo electrónico
- Realizar una llamada telefónica
- Iniciar NetMeeting

Enviar

2   Look at the brochure extracts below. Which of the places referred to above does each describe?

Lea e identifique.

(a)

Precio: $18.000 diarios
Distancia desde Santiago: 149 km
Superficie para esquiar: 323 hectáreas
Altura: 2.860 metros sobre el nivel del mar
Otras actividades: heliski y snowboard
Para visitar: La Laguna del Inca

31

(b)

Precio: $17.000 diarios
Distancia desde Santiago: 407 km
Superficie para esquiar: 10.000 hectáreas
Altura: 1.650 metros sobre el nivel del mar
Otras actividades: circuitos en bicicletas de
     montaña, excursiones, ascensiones al
     cráter del volcán
Para visitar: piscinas de aguas termales

85

diario
daily

Actividad 1.2

You will now learn how to make comparisons.

1   A good way to learn adjectives is to memorize them as pairs with opposite meanings. Match the following with their opposites. Look up any words you do not understand in the dictionary.

Enlace los opuestos.

(a) interesante

(b) bonito

(c) caro

(d) grande

(e) alto

(i)   bajo

(ii) pequeño

(iii) aburrido

(iv) feo

(v)   barato

Unidad 2 *De vacaciones* 67

MAKING COMPARISONS (1)

To make comparisons you can use the following structures:

(a) To say that that place A is more ... than place B:

Portillo es **más** bonito **que** las termas de Chillán.

(b) To say that that place B is less ... than place A:

Chillán es **menos** caro **que** Portillo.

Exceptions to these rules are *mejor que* (better than) and *peor que* (worse than):

Chillán es **mejor que** Portillo.

Chillán es **peor que** Portillo.

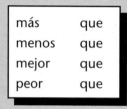

más	que
menos	que
mejor	que
peor	que

See also the section *Comparative and Superlative: Comparative* in the grammar book.

G

2   Put the words below in the correct order to make comparisons using *más ... que* and *menos ... que*. Then check your answers by doing step 3.

Construya frases.

campo (el)
countryside
si
if

Ejemplo

(a) que barato El camping es más el hotel

El camping es más barato que el hotel.

(b) que es menos El tren el autobús contaminante

(c) La fruta los dulces mejor es que

(d) la ciudad El campo más que es tranquilo

(e) España que cerca más Chile está

3   Now listen to the comparisons on *Pista 42* and repeat.

Escuche y repita.

Actividad 1.3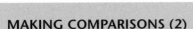

> **MAKING COMPARISONS (2)**
>
> When you compare two places, activities or people and find them both
> equally amusing, attractive, etc., use the comparison *tan ... como* in the
> same way that you would use 'as ... as' in English:
>
> Portillo es **tan** espectacular **como** Chillán.

1   Marta and her friends find that Portillo and Chillán are not that different.
    Read their chat and, using the information from the brochure on page 67,
    fill in the gaps using *más, menos, tan, que* or *como*.

    Complete el texto.

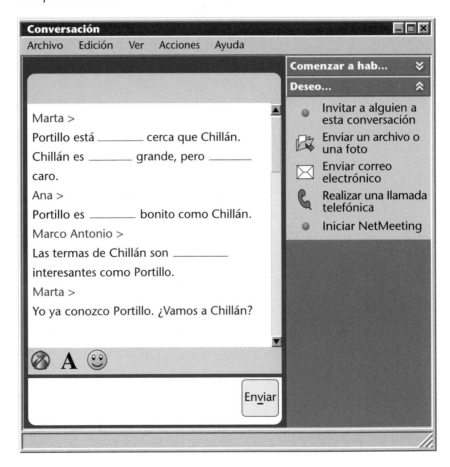

ya
already

divertido
amusing

2   Listen to *Pista 43* and compare Santiago with Valencia.

    Escuche y participe.

Actividad 1.4

You may prefer the beach to skiing. Look at the extracts from the brochure below and write three sentences comparing the two resorts.

Mire y escriba frases.

balneario (el)
spa
buceo (el)
diving
lancha (la)
motorboat

ZAPALLAR

A 181 km de Santiago, esta playa es pequeña pero muy bonita

Actividades:
paseos, balneario, buceo

Precio habitación doble:
$13.000 pesos chilenos

VALPARAÍSO

A 120 km de Santiago, es una playa muy grande y muy turística

Actividades:
excursiones, paseos en lancha

Precio habitación doble:
$13.000 pesos chilenos

Léxico básico

aburrido	*boring*	lejos	*far*
balneario (el)	*spa*	más	*more*
buceo (el)	*diving*	mejor	*better*
campo (el)	*countryside*	menos	*less*
cerca	*near*	peor	*worse*
esquiar	*to ski*	tan...como	*as...as*
laguna (la)	*lagoon, lake*	termas (las)	*hot springs, baths*
lancha (la)	*motorboat*		

Sesión 2 ¿Te apetece ir?

In this session you will practise making informal social arrangements by phone in Spain and Chile. You will also find out about one of Chile's most famous theatres.

Key learning points

- Introducing yourself and asking for someone on the phone
- Making and accepting invitations

Actividad 2.1 🎧

Now you are going to listen to various friends ringing each other.

1   Listen to the conversations on *Pista 44* and complete the following statements.

Escuche y complete las frases.

(a) En España: _____ llama a Marisa.

(b) En Chile: Josefa está en la _____ y Julio Alberto está en

_____ .

INFORMAL CONVERSATIONS ON THE PHONE

Certain set phrases are commonly used at the start of informal telephone conversations.

When you answer the phone you can say, for example, *¿Dígame?* ('Hello?'), *¿Sí?* ('Yes?') or, in Chile, *¿Aló?* ('Hello?').

To ask for someone, use *¿Está Luis?* ('Is Luis there?') or *¿Puedo hablar con Josefa?* ('May I speak to Josefa?').

To introduce yourself when you are calling, use *Soy Paco* ('It's Paco') in Spain or *Habla Paco* ('It's Paco') in Chile.

To confirm who you are, use *Soy yo* ('It's me') or *Soy Luis* ('It's Luis') in Spain, or in Chile *Él/ella habla* ('Speaking') or *Habla Patricio* ('It's Patricio').

---

2   Listen to *Pista 45* and do the exercise.

Escuche y participe.

Español de bolsillo 🎧 (Pista 69)
¿Está María?   Is María there?
Sí, soy yo.   Yes, it's me.
Ella habla. (LAm)   Speaking.
Hola, soy Luis.   Hello, it's Luis.
Habla Luis. (LAm)   It's Luis.

Actividad 2.2 🎧

1   Read the three questions below. Then listen to Pilar and Nacho talking on the telephone on *Pista 46* and tick the correct answers.

Escuche y marque con una cruz.

¿para qué?
what...for?

(a) ¿Para qué llama Nacho a Pilar?

   (i)   para comer ☐

   (ii) para salir ☐

   (iii) para ir al cine ☐

(b) ¿Cuándo?

   (i)   por la mañana ☐

   (ii) por la tarde ☐

   (iii) por la noche ☐

(c) ¿A qué hora?

   (i)   a las seis ☐

   (ii) a las siete ☐

   (iii) a las siete y media ☐

> **Español de bolsillo** 🎧 (Pista 70)
>
> ¿Te gustaría ir a bailar?   Would you like to go dancing?
>
> ¿Te apetece ir al teatro? (Sp)   Do you feel like going to the theatre?
>
> Vale. (Sp)   OK.
>
> De acuerdo.   All right.
>
> ¡Estupendo!   Great!

2   You want to invite people to take part in different activities. Listen to *Pista 47* and do the exercise.

Escuche y participe.

3

> **PRONUNCIATION: RUNNING WORDS**
>
> When you read, words are clearly separated by blank spaces, so you always know when one word ends and the next one begins. However, when people speak, it can be hard to figure out the beginnings and endings of words, and it can all sound like one long word!
>
> In spoken Spanish it is quite usual to run the final vowel from one word and the initial vowel from the next word into one syllable, so it sounds like they are part of the same word. For example, *de acuerdo* will sound like it is all one word, and in normal speech is uttered as *dea-cuer-do*.

Read the lines in the *Español de bolsillo* above, pronouncing each word separately. Then read them again, joining those words that end in a vowels with the vowels from the next word.

Lea las frases.

4   Now listen to *Pista 70* and pay attention to how the words run together. Repeat the phrases and try to imitate what you hear.

Escuche y repita.

Actividad 2.3

You are now going to learn how to accept invitations.

1   Which of the following expressions do you think can be used to accept an invitation? Tick the answers you think are correct.

Marque con una cruz.

(a) Perfecto ☐   (e) En absoluto ☐

(b) Fenomenal ☐   (f) Estupendo ☐

(c) De ninguna manera ☐   (g) No, gracias ☐

(d) Genial ☐   (h) Vale ☐

2   Isabel is talking to Heidi about the famous Teatro Municipal de Santiago. She makes the following suggestions. Heidi is very enthusiastic. How might she reply?

Responda a las invitaciones.

¿Te apetece ir a un concierto de música clásica?

¿Te gustaría ir a la ópera?

¿Te apetece ver el ballet?

¿Te gustaría visitar el teatro?

¿Te apetece reservar las entradas?

EL TEATRO MUNICIPAL DE SANTIAGO

The Teatro Municipal de Santiago is a famous concert venue in Chile. It was built in 1857 but burnt down in 1870, reopening in 1873. Nowadays it is equipped with the latest technology. The main hall has room for 1,500 people, and in 1974 it was listed as a National Monument.

Actividad 2.4 🎧

In this activity Marta rings Sandra to invite her to go to the beach.

1   Complete the gaps using appropriate expressions, following the prompts.

Complete la conversación.

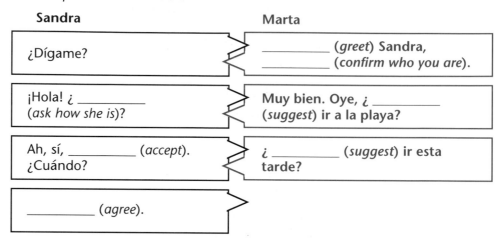

Sandra	**Marta**
¿Dígame?	_____ (*greet*) Sandra, _____ (*confirm who you are*).
¡Hola! ¿ _____ (*ask how she is*)?	Muy bien. Oye, ¿ _____ (*suggest*) ir a la playa?
Ah, sí, _____ (*accept*). ¿Cuándo?	¿ _____ (*suggest*) ir esta tarde?
_____ (*agree*).	

2   Now listen to *Pista 48* for a possible answer.

Escuche.

Actividad 2.5

Decipher this text message, which Marta is about to send, making an invitation to an event for a certain time and day.

Descifre el mensaje.

```
☺ T APTC Tatro
Mñn 7?
Bss M
```

Léxico básico

apetecer	*to feel like*	fenomenal	*fantastic*
ballet (el)	*ballet*	genial	*brilliant*
de acuerdo	*all right, OK*	ópera (la)	*opera*
de ninguna manera	*no way*	reservar	*to book*
en absoluto	*not at all*	vale (Sp)	*all right, OK*
estupendo	*great*		

Sesión 3
La reserva

Isabel and her friends are going to Chillán, and Marta has agreed to book the hotel rooms. In this session you will learn how to make a hotel reservation, and you will find out about different types of tourist accommodation in Chile.

Key learning points

- Booking a room
- Expressing dates
- Asking about facilities and types of room

Actividad 3.1

In this activity you will become familiar with the different types of hotel rooms and facilities in Chile.

1   Look at the list of facilities in the hotel brochure and answer the questions by ticking the correct option.

Mire y marque con una cruz.

	Sí	No
(a) ¿Tiene lavandería?	❑	❑
(b) ¿Tiene televisión?	❑	❑
(c) ¿Tiene piscina?	❑	❑
(d) ¿Tiene ducha?	❑	❑
(e) ¿Tiene teléfono?	❑	❑
(f) ¿Tiene internet?	❑	❑

2   Look at the three groups of people below. Match them to an appropriate
    room.

    Enlace.

(a) **Laura**   (b) **Marco Antonio y**   (c) **Ana y Vivi, dos hermanas**
                          Eulalia, una pareja

(i)   Una habitación doble

(ii)   Una habitación con dos camas

(iii)    Una habitación individual

VISITOR ACCOMMODATION IN CHILE

As well as standard hotels (*hoteles*) there are cheaper hotels available all year
round called *pensiones* or *residenciales*. In the summer, especially in tourist
areas, families offer inexpensive rooms with kitchen and shower facilities,
breakfast and local hospitality; these are called *casas de familia* or *hospedajes*.
Finally there are many camp sites, often in wooded areas, and *refugios*, which
are rustic shelters in national parks.

Actividad 3.2 🎧

Now you will learn how to book a room.

1   Listen to *Español de
    bolsillo*, *Pista 71*,
    and repeat aloud.

    *Escuche y repita en
    voz alta.*

2   Listen to *Pista 49* and
    do the exercise, asking
    for different types of
    room.

    Escuche y participe.

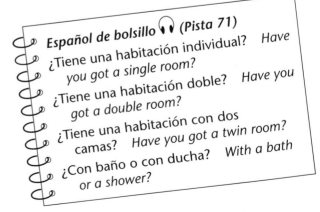

Español de bolsillo 🎧 (*Pista 71*)
¿Tiene una habitación individual?   *Have
    you got a single room?*
¿Tiene una habitación doble?   *Have you
    got a double room?*
¿Tiene una habitación con dos
    camas?   *Have you got a twin room?*
¿Con baño o con ducha?   *With a bath
    or a shower?*

Actividad 3.3 🎧 _____

A harassed hotel receptionist has made reservations for two clients, but
unfortunately she has noted down the wrong details in the reservations book.

1   Listen to the original conversation on *Pista 50* and correct the entries.

    Escuche y corrija.

	Cliente 1	**Cliente 2**
¿Para cuándo?	el dos de febrero	el quince de marzo
¿Para cuántas noches?	cuatro noches	trece noches

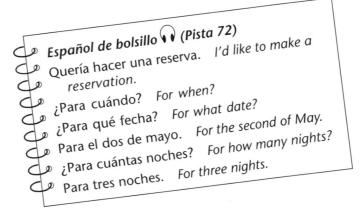

Español de bolsillo 🎧 *(Pista 72)*

Quería hacer una reserva.   *I'd like to make a reservation.*

¿Para cuándo?   *For when?*

¿Para qué fecha?   *For what date?*

Para el dos de mayo.   *For the second of May.*

¿Para cuántas noches?   *For how many nights?*

Para tres noches.   *For three nights.*

HOW TO EXPRESS DATES

To say the date in Spanish, use cardinal numbers (e.g. *uno, dos, tres*, etc.)
with the article *el*, followed by *de*:

    el 1 (uno) **de** diciembre

    el 13 (trece) **de** mayo

If the day of the week is included, it goes immediately before the number.
Notice that a preposition is not needed to express 'on' and that there is no
article before the number.

    el sábado 15 (quince) de mayo   (on Saturday 15th May)

However, the article is not used to say what day it is with a time reference
(e.g. *hoy, mañana*):

    Hoy es 16 (dieciséis) de abril.

    Mañana es 17 (diecisiete) de abril.

or when writing dates in a letter:

    15 de mayo

2 You need to ask for a room for different dates. Read the following information, then practise saying the dates below. Record yourself.

Lea y grábese en su cinta.

quería
I would like

(a) Quería una habitación para el 21/4.

(b) Quería una habitación para el 28/7.

(c) Quería una habitación para el lunes 12/1.

(d) Quería una habitación para el 15/9.

(e) Quería una habitación para el viernes 1/6.

Ejemplo

(a) Quería una habitación para el veintiuno de abril.

A POPULAR SAYING

Martes 13 (trece) is associated with misfortune in the same way as Friday the 13th in Britain, hence the popular *refrán* (saying) in Spain:

Trece y martes ni te cases ni te embarques.

Don't get married or go on a boat on Tuesday 13th.

Actividad 3.4

It's time for you to make your own booking.

¿Qué desea?
How can I help? (literally, What do you want?)

Listen to *Pista 51* and make your booking using the prompts.

Haga la reserva.

Léxico básico

baño (el)	*bath*		lavandería (la)	*laundry*
doble	*double*		pensión (la)	*guest house*
ducha (la)	*shower*		reserva (la)	*reservation*
individual	*single*			

Sesión 4
Esto no funciona

Marta and her friends have a few problems in the hotel where they are staying. In this session you will learn how to report faults and request assistance.

Key learning points

*   Talking about things that do not work properly

*   Making simple polite requests

Actividad 4.1

Marta and her friends have arrived at the hotel.

1   Look at the picture and label the items indicated, using the words from the box.

Mire e indique.

> la lámpara • la cama • el armario • la radio • el televisor •
> el minibar • el wáter/WC • la bañera • el grifo

Unidad 2 *De vacaciones* 79

2 The room is not up to their expectations. Fortunately the hotel offers its clients a card to report faults. Listen to Marta on *Pista 52* and write (a), (b), (c) or (d) against the facilities she is complaining about.

Escuche y ponga la letra apropiada.

averías (las)
faults, breakdowns

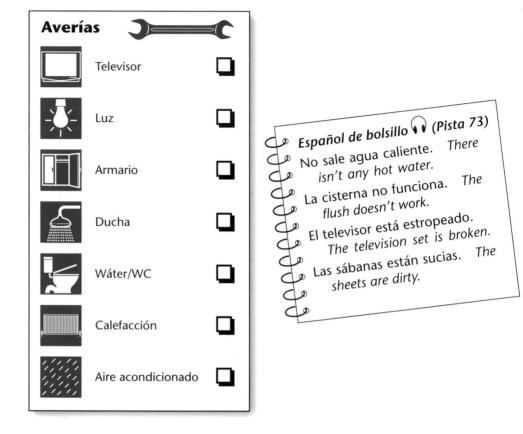

Averías

Televisor ☐

Luz ☐

Armario ☐

Ducha ☐ ☐

Wáter/WC ☐

Calefacción ☐

Aire acondicionado ☐

Español de bolsillo 🎧 (Pista 73)

No sale agua caliente. *There isn't any hot water.*

La cisterna no funciona. *The flush doesn't work.*

El televisor está estropeado. *The television set is broken.*

Las sábanas están sucias. *The sheets are dirty.*

3 Their friends in the next room seem to be equally unlucky with their electrical appliances. Complete the following sentences using the words from the box.

Complete las frases.

funciona • estropeado • hay

(a) ¡No funciona nada en esta habitación! La radio no _____ y el televisor tampoco.

(b) El aire acondicionado está _____ .

estar roto
to be broken

(c) No _____ luz. La lámpara está rota.

como
like, as

(d) El frigorífico del minibar no _____ . ¡La Coca-Cola está caliente como la sopa!

4   Try letting off a bit of steam. To do this the right intonation is important. Listen again to Marta on *Pista 52* and repeat her complaints, imitating her intonation. You may need to pause the CD occasionally. Have fun!

Escuche otra vez y repita.

Actividad 4.2 🎧

Marta and her friends are going to explain the problems and ask for the necessary action to be taken.

1   First listen to *Español de bolsillo, Pista 74*.

Escuche.

2   They complain at the reception desk. Read what they say, then look at the list of things requiring attention. Decide whether the items they are complaining about need to be mended or replaced, and tick as appropriate.

> **Español de bolsillo 🎧 (Pista 74)**
> ¿Le importaría arreglar el grifo? Would you mind fixing the tap?
> ¿Puede arreglar la cisterna? Can you fix the flush?
> ¿Le importaría cambiar la radio? Would you mind changing the radio.
> ¿Puede cambiar las sábanas? Can you change the sheets?

Lea y marque con una cruz.

– Hace mucho calor en mi habitación. ¿Le importaría arreglar el aire acondicionado?

– La puerta del armario no abre bien. ¿Puede arreglar el armario?

bombilla (la)
light bulb
– La luz no funciona. ¿Puede cambiar la bombilla, por favor?

– La ducha no funciona. ¿Puede arreglar la ducha?

– Las sábanas están rotas y sucias. ¿Le importaría cambiar las sábanas?

	Cambiar	Arreglar		Cambiar	Arreglar
el aire acondicionado	❑	❑	la ducha	❑	❑
el armario	❑	❑	las sábanas	❑	❑
la bombilla	❑	❑			

sábanas (las)
sheets

CONSUMER ASSOCIATIONS

The main consumer association in Chile is the Servicio Nacional del Consumidor, or SERNAC; in Spain it is the Instituto Nacional del Consumo or INC. These government organizations defend consumers, look after their interests, and promote consumer rights.

3   You are having some problems at your hotel. Listen to *Pista 53* and do the exercise.

Escuche y participe.

Enpocas**palabras**

Dictionary skills – stress marks

> **USE OF WRITTEN ACCENTS TO DIFFERENTIATE WORDS**
>
> Written accents are normally used to show where an irregular stress falls in a word. But they can also be used to differentiate words which sound the same but have different meanings. For example, *se* is a reflexive pronoun but *sé* is the first person singular of the verb *saber*.

Look up the following pairs of words in the dictionary (if you don't know them already) and decide whether their Spanish translation should be accentuated or unaccentuated.

Busque en el diccionario y coloque.

> you (familiar singular) • your (familiar singular)
> he • the (masculine singular)
> if • yes
> that (conjunction) • what

Vocabulary practice

Some words only go with certain words and not others, e.g. as you saw in Book 1, you would use *sacar* with *entradas de teatro*, but not *sellos*.

1   Follow the threads to link the objects and the verbs.

Enlace.

> **Ejemplo**
>
> *grifo – abre*

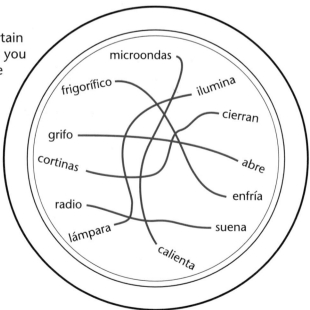

2　Now make complaints using the word pairs you have just learned.

Escriba frases.

Ejemplo

El grifo no abre.

Léxico básico

aire acondicionado (el)	*air conditioning*	estropeado	*broken, broken down*
arreglar	*to fix*	funcionar	*to work, to function*
bombilla (la)	*light bulb*	grifo (el)	*tap*
calefacción (la)	*heating*	roto	*broken*
calentar	*to heat up, to warm up*	sábana (la)	*sheet*
cisterna (la)	*flush, cistern*	sonar	*to sound, to be (switched) on (referring to the radio)*
cortina (la)	*curtain*		
enfriar	*to cool, to chill*	sucio	*dirty*

Sesión 5

Viajeros al tren

Patricio and his colleagues are planning a weekend trip to Alicante. Meanwhile in Chile, Isabel is planning to join Marta and her other friends in Chillán.

Key learning points

- Finding out about types of ticket and costs
- Finding out about times and durations of journeys
- Buying a ticket

Actividad 5.1

Patricio looks on the Net to find the information he needs.

1   Find words in the text above with the following meanings.

Busque las siguientes palabras.

(a) departure, (b) arrival, (c) single ticket, (d) return ticket, (e) prices, (f) newspapers and magazines, (g) luggage check-in.

2   Patricio leaves a note for his colleagues. Read it and fill in their itinerary. They need to be in Alicante by 9.30 am.

Complete el itinerario.

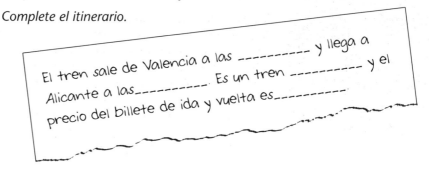

El tren sale de Valencia a las _____ y llega a Alicante a las _____. Es un tren _____ y el precio del billete de ida y vuelta es_____

procedente de
from

con destino
destination

andén (el)
platform

pasajero (el)
passenger

3 When he arrives at the station to pick up the tickets, Patricio hears some platform announcements on the tannoy. Listen to *Pista 54* and complete the table below. The first has been done for you.

Escuche y complete la tabla.

	Procedencia	Destino	Hora	Andén
(a)	Barcelona	Murcia	—	4
(b)	—			
(c)	—			
(d)		—		

THE RAILWAY SYSTEM IN SPAIN

RENFE (Red Nacional de Ferrocarriles Españoles) is the state-owned railway company which operates an integrated system of long-distance (*largo recorrido*), regional (*regional*) and local services (*cercanías*). Spanish gauge is slightly wider than the European standard, a fact which historically limited the scope for international services since it was necessary to adjust the undercarriage at the border.

RENFE's solution in the 1980s was the *Talgo Pendular*, with adjustable undercarriages. Beginning with the construction of the *Tren de Alta Velocidad* (AVE) line between Seville and Madrid in the 1990s, the strategy for the 21st century is to build a network of high-speed standard gauge lines to link the major Spanish cities with the rest of Europe.

Actividad 5.2 🎧

demorarse
(LAm)
to take (time)

boleto (el)
(LAm)
ticket

Meanwhile, on the other side of the Atlantic, Isabel goes to the Alameda Station in Santiago to join her friends in Chillán. The woman in front of them in the queue is buying a ticket for Chillán as well.

1 Listen to the dialogue on *Pista 55*. What did the woman forget?

Escuche el diálogo.

RAILWAY DEVELOPMENT IN CHILE

Railways are particularly important for communications in Chile, the longest country in the world, with a north–south land extent of over 4,300 kilometres. The rail system began to develop in the 19th century. Starting from the Alameda Station (also known as the Estación Central) in Santiago, which was designed by Gustav Eiffel, the main line extends due south, running through the central valley to Puerto Montt. In its heyday all the major cities in the south were served, but today passenger trains only go as far as Temuco and Concepción.

In the mining areas of northern Chile another extensive rail system was created, with British capital, to haul nitrates to the coastal ports of Iquique and Antofagasta. It is still operational today.

2   Listen to *Pista 55* again and write down the following information about her journey.

Escuche otra vez y escriba.

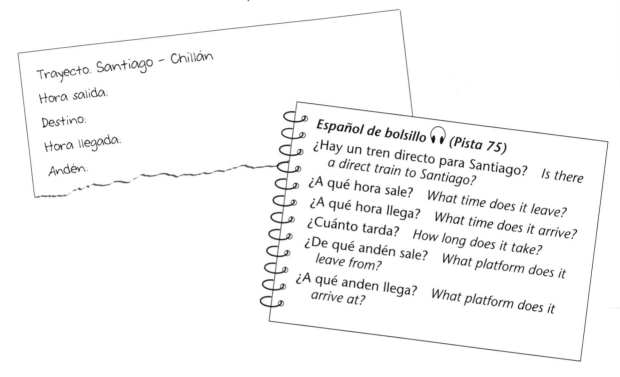

Trayecto: Santiago – Chillán

Hora salida:

Destino:

Hora llegada:

Andén:

Español de bolsillo (*Pista 75*)

¿Hay un tren directo para Santiago?   Is there a direct train to Santiago?

¿A qué hora sale?   What time does it leave?

¿A qué hora llega?   What time does it arrive?

¿Cuánto tarda?   How long does it take?

¿De qué andén sale?   What platform does it leave from?

¿A qué anden llega?   What platform does it arrive at?

3   Now imagine you are in Atocha station in Madrid and you want to book a ticket to Seville. Listen to *Pista 56* and do the exercise.

Escuche y participe.

Actividad 5.3

In this activity you will learn how to buy a ticket.

1   Put the following dialogue, between a customer (*cliente*) and a ticket seller (*taquillero*), into the correct order.

Ordene las frases.

(a) **Cliente** Buenos días.	**Taquillero** Buenos días, ¿qué desea?
(b) **Cliente** El 30 de abril.	**Taquillero** Aquí tiene los billetes.
(c) **Cliente** De ida y vuelta.	**Taquillero** ¿Para cuándo?

(d) **Cliente** Un billete para Castellón, por favor.	**Taquillero** ¿De ida o de ida y vuelta?
(e) **Cliente** Quiero ir el 27 de abril.	**Taquillero** Okey, ¿y para qué fecha quiere la vuelta?
(f) **Cliente** Muchas gracias.	**Taquillero** De nada.

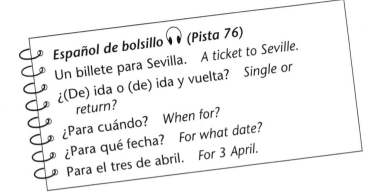

Español de bolsillo 🎧 *(Pista 76)*
Un billete para Sevilla.   *A ticket to Seville.*
¿(De) ida o (de) ida y vuelta?   *Single or return?*
¿Para cuándo?   *When for?*
¿Para qué fecha?   *For what date?*
Para el tres de abril.   *For 3 April.*

2   Now it's your turn to get the tickets. Listen to *Pista 57* and do the exercise.
Escuche y participe.

Léxico básico

andén (el)	*platform*	llegada (la)	*arrival*
con destino	*for (destination)*	precio (el)	*price*
demorarse (LAm)	*to take (time)*	prensa (la)	*newspapers and magazines*
facturación (la)	*check-in*		
fecha (la)	*date*	procedente de	*from*
(de) ida	*single*	salida (la)	*departure*
(de) ida y vuelta	*return*		

Sesión 6
La cesta de la compra

In this session you will look at shopping in the Mercado Central in Valencia. You will learn how to buy food as well as find out more about this famous market.

Key learning points

- Vocabulary for food
- Asking the price of products
- Buying food in a market

Actividad 6.1 🎧

charcutería (la)
delicatessen

1 Back at the restaurant El Horno, the sous-chef Pilar has been sent to the Mercado Central with a copy of the day's menu to buy the ingredients. Read it, then look at the market stalls. What would she need to buy at each of them?

Lea, mire y escriba.

(a) Frutería

(b) Charcutería

> ❖❖❖
>
> ## Menú del día
>
> Primer plato: entremeses (jamón serrano, queso manchego) o tapas de marisco (calamares, mejillones, almejas)/*First course: starters (cured ham, La Mancha cheese) or seafood tapas (squid, mussels, clams)*
>
> Segundo plato: pescado con ensalada (trucha/salmón/merluza, lechuga, tomate, cebolla) o carne con verdura (cordero/ternera, zanahorias, coliflor, pimientos)/*Second course: fish with salad (trout/salmon/hake, lettuce, tomato, onion) or meat with vegetables (lamb/beef, carrots, cauliflower, peppers)*
>
> Postre: macedonia (manzanas, naranjas, plátanos, fresas)/*Dessert: fruit salad (apples, oranges, bananas, strawberries)*

(c) Carnicería

(d) Pescadería

2 Listen to *Pista 58* and write down which stalls you think the people speaking work at.

Escuche y escriba.

Actividad 6.2 🎧

Pilar is comparing prices in the *frutería*, the *pescadería* and the *carnicería*.

1 Listen to her asking the price of fruit and vegetables on *Pista 59*. Write down the prices you hear. The first has been done for you.

Escuche y escriba.

Fruta y verdura		Precio
Plátanos		1, 50 €
Limones		

Fruta y verdura		Precio
Patatas		
Tomates		
Lechuga		

Español de bolsillo 🎧 (Pista 77)

¿A cuánto están los melocotones? *How much are the peaches?*

A uno setenta el kilo. *One seventy a kilo.*

¿Cuánto valen los limones? *How much are the lemons?*

Uno veinte el kilo. *One twenty a kilo.*

¿Cuánto cuestan los plátanos? *How much are the bananas?*

Uno treinta y cinco el kilo. *One thirty-five a kilo.*

¿Cuánto es el kilo de manzanas? *How much is a kilo of apples?*

Uno sesenta el kilo. *One sixty a kilo.*

¿Cuánto cuesta esta lechuga? *How much is this lettuce?*

Noventa céntimos. *Ninety cents.*

ASKING PRICES

There are several ways of asking prices:

¿Cuánto vale(n)?

¿Cuánto cuesta(n)?

¿Cuánto es? is used to ask the price of a single item or the total cost of a transaction.

¿A cuánto está(n)? is used to ask the price of items that are expected to fluctuate regularly, such as market produce, currency, share prices, etc.:

¿A cuánto está el dólar?

chuleta (la)
chop

2   It's on to the fish and meat stalls. This time it is your turn to ask the prices. Listen to *Pista 60* and do the exercise. You can use any of the expressions from *Español de bolsillo, Pista 77*.

Escuche y participe.

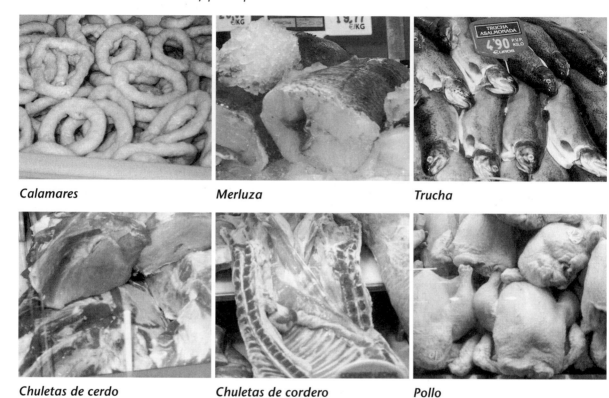

Calamares   **Merluza**   **Trucha**

Chuletas de cerdo   **Chuletas de cordero**   **Pollo**

Actividad 6.3 🎧

Now that you know how to ask the price of the products, you can start buying!

1   Read the following dialogue and then match the amounts to the products.

Enlace los productos y las cantidades.

¿Algo más?,
¿Otra cosita?
Anything else?

carne picada (la)
minced meat

jamón cocido (el)
cooked ham

Carnicero	Cliente
¿Qué le pongo?	Me pone medio de chuletas de cerdo.
¿Algo más?	Sí, me pone un cuarto de ternera.
¿Otra cosita?	Un kilo de carne picada y… trescientos gramos de jamón cocido.

| ¿Algo más? | No, gracias. ¿Me dice cuánto es, por favor? |

(a) 300 gramos

(b) 500 gramos

(c) 250 gramos

(d) 1.000 gramos

(i) chuletas de cerdo

(ii) ternera

(iii) carne picada

(iv) jamón cocido

Quantities

un kilo/litro de...

medio kilo/litro de...

un cuarto (de kilo) de...

100 gramos de...

WEIGHTS AND MEASURES

Since all Spanish-speaking countries are metric, the weight system is often not specifically referred to. So if someone says *un cuarto* or *medio*, it is assumed that it is a quarter or half of a kilo, i.e. 250 grams and 500 grams respectively.

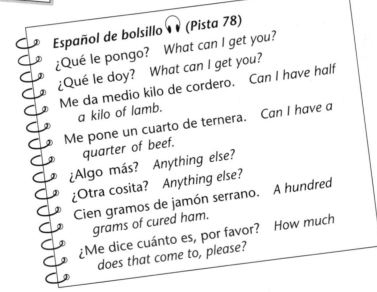

Español de bolsillo 🎧 (Pista 78)

¿Qué le pongo?   What can I get you?

¿Qué le doy?   What can I get you?

Me da medio kilo de cordero.   Can I have half a kilo of lamb.

Me pone un cuarto de ternera.   Can I have a quarter of beef.

¿Algo más?   Anything else?

¿Otra cosita?   Anything else?

Cien gramos de jamón serrano.   A hundred grams of cured ham.

¿Me dice cuánto es, por favor?   How much does that come to, please?

hueso (el)
bone

2   Now it's your turn to do some shopping. Listen to *Pista 61* and do the exercise.

Escuche y participe.

Actividad 6.4

Now it's time to make your own shopping list and practise asking for things.

1   Think of a favourite recipe and make a list of the products and the amounts you need to cook it. Look up any words you don't know in the dictionary.

Haga una lista.

2   Think of the expressions needed to ask how much each of the products in step 1 costs and to ask for the required amount. Practise saying them aloud, paying particular attention to the intonation. Then record yourself.

Grábese en su cinta.

EspejoCultural _____

You have learnt to book hotel rooms and buy food, but how do you pay for it? In this section you will look at payment methods and money culture in Spanish-speaking countries.

1   Match the following methods of payment with the types of establishment where you can use those methods where you live.

Enlace.

(en) efectivo
(with) cash

tarjeta (la)
card

contra
reembolso
cash on delivery

grandes
almacenes (los)
*department
store*

(a) efectivo
(b) cheque
(c) tarjeta de crédito
(d) contra reembolso
(e) cheques de viaje

(i)   la panadería
(ii)   el supermercado
(iii) compra en internet
(iv) catálogo
(v)   el mercado
(vi) kiosco
(vii) grandes almacenes
(viii) tienda de ropa

2   Practices vary from country to country. Which of the above methods of payment do you think may not be as widely accepted or used in Spanish-speaking countries?

¿En efectivo o con tarjeta?

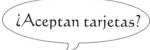

¿Aceptan tarjetas?

¿Puedo pagar con cheques de viaje?

3   Let's look at social conventions when paying. Imagine you go out for a few drinks with a couple of friends. How would you sort out the bill?

¿Quién paga?

(a) One person pays for one round, another pays for the next.
(b) The bill is split into 3 equal parts each time.
(c) Each pays for the exact price of their drinks.
(d) One person treats everyone else.
(e) A common fund, or kitty, is collected at the beginning of the evening and all drinks are paid for out of it.

4   What do you think would be done in Spanish-speaking countries?

¿Qué opina?

Léxico básico

calamares (los)	*squid*	fresa (la)	*strawberry*	medio	*half*
carnicería (la)	*butcher's*	frutería (la)	*fruit stall/shop*	naranja (la)	*orange*
charcutería (la)	*delicatessen*	limón (el)	*lemon*	pescadería (la)	*fishmonger's*
cuarto (el)	*quarter*	manzana (la)	*apple*	plátano (el)	*banana*

Sesión 7
¡Más que bueno, mejor!

In this session you will compare Valencia and Montevideo, the capital of Uruguay, and express your preferences.

Key learning points

*   Revision of comparison of adjectives

*   Comparison of nouns

*   Stating preferences

Actividad 7.1 🎧

You are now going to compare the two cities.

1   Use the information about Montevideo and Valencia below to complete the table overleaf. The first part has been done for you.

Lea y complete la tabla.

MONTEVIDEO

Montevideo, la capital de Uruguay, tiene 1,3 millones de habitantes. Ocupa 530 km cuadrados. Su aeropuerto se llama Aeropuerto Internacional Carrasco. Tiene unos 60 hoteles para elegir. La temperatura normal en verano es 23° y en invierno 10°.

VALENCIA

La ciudad de Valencia, la capital de la Comunidad Valenciana, tiene una población de 750.000 aproximadamente. Su superficie es de 135 km cuadrados. Tiene un aeropuerto y más de 60 hoteles. La temperatura normal en verano es de 24° y en invierno 10°.

Características	MONTEVIDEO	VALENCIA
(a) Estatus	la capital de Uruguay	la capital de la Comunidad Valenciana
(b) No. de habitantes		
(c) Temperaturas invierno y verano		
(d) Superficie		
(e) No. de aeropuertos		
(f) No. de hoteles (aprox.)		

2 In Valencia Patricio's friend Pilar meets a Uruguayan. Listen to *Pista 62,* where he compares different aspects of his own capital city with Valencia. Tick the appropriate boxes to show which city he considers better for each aspect. Note that *aquí* refers to Valencia, and *allí* to Montevideo.

Escuche y marque con una cruz.

Aspecto	Mejor Montevideo	Mejor Valencia	Igual
(a) clima	❑	❑	☒
(b) vida cultural	❑	❑	❑
(c) vida nocturna	❑	❑	❑
(d) comida	❑	❑	❑

Actividad 7.2

Now you are going to compare the two cities in a bit more detail.

MAKING COMPARISONS WITH NOUNS

As you have seen, you can make comparisons of quality using *más ... que, menos ... que,* and *tan ... como* with adjectives:

La vida cultural es **más rica** en Montevideo **que** en Valencia.

To make comparisons of quantity, you also use *más ... que* and *menos ... que,* but with nouns instead of adjectives:

Montevideo tiene **más habitantes que** Valencia.

Valencia tiene **menos museos que** Montevideo.

For comparisons of equality with nouns, *tanto/a/os/as ... como* is used in the same way English uses: 'as much/many ... as'. *Tanto/a/os/as* agrees with the noun that it qualifies in number and gender:

> Hace **tanto calor** en Valencia **como** en Barcelona.
>
> Hay **tanta lluvia** en Santander **como** en Bilbao.
>
> Bogotá tiene **tantos parques como** Santiago.

Complete these statements about the two cities using the information from the table in *Actividad 7.1*.

Complete las frases.

(a) Montevideo tiene _____ habitantes _____ Valencia.

(b) En Valencia hace _____ frío en invierno _____ en Montevideo.

(c) Valencia es _____ pequeña _____ Montevideo.

(d) Valencia tiene _____ aeropuertos _____ Montevideo.

(e) Montevideo es _____ grande _____ Valencia.

(f) En Montevideo hace _____ calor en verano _____ en Valencia.

(g) Montevideo tiene _____ hoteles _____ Valencia.

Actividad 7.3 🎧

In this activity you are going to practise stating preferences.

mi tierra
my homeland

1   Later, Pilar meets a Colombian woman and asks her to compare her home town of Pereira with Valencia. Listen to *Pista 63* and say whether she prefers Pereira or Valencia.

¿Qué ciudad prefiere?

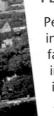

PEREIRA

Pereira is the capital of the *departamento* of Risaralda in Colombia. The city was founded in 1863, and it is famous for being one of the biggest coffee producers in the country. Pereira is also renowned for its textile industry, especially its shirts. It was voted *Capital Americana de la Cultura del año 2001*.

Español de bolsillo 🎧 *(Pista 79)*

¿Qué prefieres, Pereira o Valencia?   *Which do you prefer, Pereira or Valencia?*

Prefiero Pereira.   *I prefer Pereira.*

¿Qué te gusta más, Pereira o Valencia?   *Which do you like best, Pereira or Valencia?*

Me gusta más Pereira.   *I like Pereira best.*

PREFERIR

prefiero preferimos
prefieres preferís
prefiere prefieren

As you already know, subject pronouns (*yo, tú, él,* etc.) are not generally used, since the subject is designated by the verb ending. However, because it is usually emphatic, *preferir* is often used with the subject pronouns.

2   Complete the gaps with the appropriate form of the verb *preferir.*

Complete las frases.

(a) Vosotros _____ los helados.

(b) Yo _____ viajar en tren.

(c) No nos gusta ir al cine, _____ ir al teatro.

caballeros (los)
gentlemen

(d) Ella _____ comer chocolate.

(e) ¿Tú qué _____ hacer?

rubia
blonde

(f) "Los caballeros las _____ rubias".

3   Now use what you have learned about Valencia to write four sentences comparing it with where you live. State which place you prefer and why, e.g. because of climate, size, etc.

Escriba.

Ejemplo

porque
because

Yo prefiero Warwick porque Warwick es más bonita que Valencia.

Léxico básico

elegir	*to choose*
habitante (el/la)	*inhabitant*
metros cuadrados (los)	*square metres*
población (la)	*population*
preferir	*to prefer*
superficie (la)	*surface*
temperatura (la)	*temperature*
tierra (la)	*land, homeland*
vida nocturna (la)	*night life*

Sesión 8
Lo bueno y lo malo

In this session you will learn to talk about different occupations in Chile and Spain, and learn to discuss their advantages and disadvantages. You will also take a look at the arts and crafts scene in Chile.

Key learning points

- Expressing advantages and disadvantages
- Using connectors to express contrast

Actividad 8.1

Isabel visits the Vitacura Centre for *cultura y artesanía* (culture and arts and crafts) in Santiago. There she meets some *artesanos* (craftspeople).

1   After visiting the centre, Isabel sends a postcard to her son Aitor in Valencia. Read it and make a list of the advantages and disadvantages of being a craftsperson.

Lea y haga una lista.

ganar
to earn

sin embargo
however

también
also

Te echo de
menos.
I miss you.

> Querido Aitor:
>
> El centro de arte es interesante y encantador. Los artesanos tienen muchas satisfacciones con su arte, pero ganan poco dinero. No tienen jefe y pueden trabajar desde casa, sin embargo trabajan muchas horas y también los fines de semana. Tengo un regalo para ti. ¡Te echo de menos!
>
> Besos
>
> Mamá

THE CERAMICS INDUSTRY

The ceramics industry, like many other Latin American arts and crafts, often involves the whole family, and women often have an important role. It supplements rural incomes and is aimed at popular art collectors and tourists. Whilst families work collectively, competition is fierce between different families.

(Adapted from *The Encyclopedia of Contemporary Latin American and Caribbean Cultures*, Vol. 1, eds. D. Balderston, M. González and A.M. López, Routledge, London, 2000, p. 317)

2

EXPRESSING CONTRAST BETWEEN TWO IDEAS

You have already seen that you can connect two ideas using *y* (and) or *también* (also):

El museo es interesante **y** encantador.

El museo es interesante. **También** es encantador.

To contrast two ideas, you can use *pero* (but) and *sin embargo* (however):

Los artesanos trabajan mucho **pero** ganan poco dinero

No tienen jefe. **Sin embargo** trabajan muchas horas.

Isabel's life as a theatre director also has advantages and disadvantages. Read the notes on aspects of her professional activity in columns 1 and 2 below. If the idea in column 2 is a continuation of the idea in column 1, link the two halves using *y* or *también*; if it is a contrast, use *pero* or *sin embargo*.

Conecte y haga frases.

> **Ejemplo**
>
> (a) Mi trabajo da mucha satisfacción **pero** son muchas horas de trabajo.
>
> *or* Mi trabajo da mucha satisfacción. **Sin embargo** son muchas horas de trabajo.

mucho
much, a lot

poco
little, few

	1		2
(a)	Mi trabajo da mucha satisfacción	*contrast*	son muchas horas de trabajo.
(b)	Recibo los aplausos del público	*contrast*	da mucho estrés.
(c)	Tengo mucha responsabilidad	*continuation*	hay pocas vacaciones.
(d)	Tengo horario flexible	*contrast*	tengo que trabajar los fines de semana.
(e)	Gano mucho dinero	*continuation*	es un ambiente agradable.

Actividad 8.2 🎧

In this activity you are going to hear people talking about what is good and bad about their professional lives.

poco valorado
undervalued

1   Listen to three people being interviewed on *Pista 64*. Decide whether the items in the box below are *bueno* (good) or *malo* (bad), and complete the table on the next page.

Escuche y complete la tabla.

> el horario • la jefa • el contacto con los hijos • un trabajo poco valorado • la fama • los periodistas

Profesión	Lo bueno	Lo malo
secretaria		
ama de casa		
estrella de cine		

EXPRESSING ADVANTAGES AND DISADVANTAGES

You can use the expressions *lo bueno* (the good thing) and *lo malo* (the bad thing) to express advantages and disadvantages:

> Lo bueno de ser secretaria es…
>
> Lo malo de ser ama de casa es…

Lo is used to turn adjectives into abstract nouns. In English, this would be expressed by a phrase such as 'the good/bad thing (about, etc.)'. Notice that *lo bueno* and *lo malo* stay the same even when followed by a masculine or a feminine noun, whether it is singular or plural:

> Lo bueno es la fama.
>
> Lo malo son los periodistas.

Notice too that, in Spanish, phrases such as *lo malo…* are followed by *de* and an infinitive if a verb is required, whereas an '-ing' form is used in English:

> Lo bueno **de ser** secretaria. (The good thing **about being** a secretary.)

2   Using the answers from step 1, make full sentences expressing good and bad aspects of each profession.

Escriba las frases.

Ejemplo

Lo bueno de ser secretaria es el horario pero lo malo (de ser secretaria) es la jefa.

3   Now, using the dictionary if you wish, make a list of what is good and bad about your work situation, about where you live, and about being a student of Spanish. Make full sentences.

Haga una lista y escriba frases.

Ejemplo

Lo bueno de ser policía es la satisfacción pero lo malo (de ser policía) es el riesgo.

Enpocaspalabras

Vocabulary learning strategies

One way of reinforcing vocabulary that you have learned is to make lists of words associated with particular situations.

Look at this picture. How many of the products in the picture can you remember? Make a list in Spanish.

Haga una lista en español.

You can use any situation in daily life as a language learning situation. When looking around you or at a picture, ask yourself how many words you know to describe what you see. You can then look up the words that keep coming up and test yourself.

Diario hablado

1 Imagine you are going to the market to get this week's shopping. Make a list in Spanish of the products you will need from *la frutería, la carnicería, la charcutería* and *la pescadería*.

Haga una lista en español.

2 Now imagine you are at each stall and it's your turn. How do you ask for the products you want? Record yourself.

Grábese en su cinta.

Léxico básico

aplauso (el)	*applause*	ganar (dinero)	*to earn (money)*
encantador	*charming*	interesante	*interesting*
estrella (la)	*star*	público (el)	*audience*
estrés (el)	*stress*	satisfacción (la)	*satisfaction*
feria (la)	*fair*		

Sesión 9
Repaso

This session is designed to help you revise the language that you have learned so far in this unit.

EL CÓMIC

Look at the comic strip and write out in full the dates that these Spanish children suggest. Can you guess which child gives the right answer?

Escriba las fechas.

CRUCIGRAMA

Complete the crossword.

Complete el crucigrama.

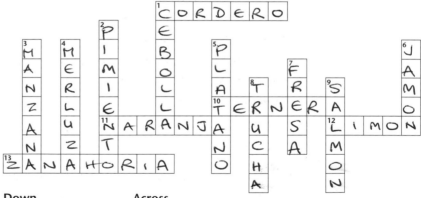

Down	Across
1 Onion	1 Lamb
2 Pepper	10 Beef
3 Apple	11 Orange
4 Hake	12 Lemon
5 Banana	13 Carrot
6 Ham	
7 Strawberry	
8 Trout	
9 Salmon	

EL PEDANTE

Read this postcard and correct
the five mistakes.

*Lea la postal y corrija los cinco
errores.*

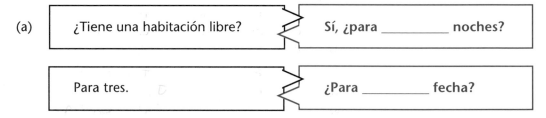

Hola a todos:

Aquí estoy, en Portillo. Es un sitio precioso. Hay más nieve que en
Chillán. El hotel es espectacular, tiene tan habitaciones como el
hotel de Santiago. Las pistas son tantas buenas como en Sierra
Nevada. El malo son el tiempo: no hace tanto bueno como en
Santiago.

Besos

Antonio

MI GRAMÁTICA

You are now going to practise using question forms correctly.

Read the dialogues below and fill in the gaps using the words from the box.

Lea los diálogos y rellene los espacios en blanco.

(a)

¿Tiene una habitación libre? ⟩ Sí, ¿para _____ noches?

Para tres. ⟩ ¿Para _____ fecha?

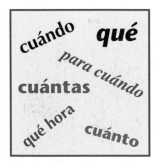

cuándo   qué
para cuándo
cuántas
qué hora   cuánto

(b)

Un boleto para Concepción,
por favor. ⟩ ¿ _____?

Para el 14 de abril.
¿ _____ cuesta? ⟩ 12.000 pesos.

| ¿A _____ sale? | A las nueve de la mañana. |

| ¿ _____ llega? | A las tres y media de la tarde. |

TEST CULTURAL

Answer the following questions about cultural information that has appeared in this unit.

Responda a las preguntas.

(a) ¿Para qué se utiliza el Teatro Municipal de Santiago?

    (i) conciertos   (ii) obras de teatro   (iii) cine

(b) ¿Qué tipo de alojamiento en Chile está en parques nacionales?

    (i) pensión   (ii) hospedaje   (iii) refugio

(c) ¿Qué día trae mala suerte?

    (i) lunes trece   (ii) martes trece   (iii) viernes trece

(d) ¿Qué es 'un cuarto' en el mercado?

    (i) 250 gramos   (ii) 400 gramos   (iii) 500 gramos

(e) ¿Qué se paga normalmente contra reembolso?

    (i) el pan   (ii) los productos de supermercado   (iii) los productos de catálogo

CANCIONERO

1   San Fermines is a popular celebration in Pamplona, Spain, which takes place on 7 July every year. Before finding out more, complete the following sequence of dates up to the date of the San Fermines. Then go straight to step 2, where you will hear the answer sung.

Complete la secuencia de fechas.

Uno de enero, dos de febrero, tres de marzo,...

media (la)
stocking

calcetín (el)
sock

2 Now listen to the song on *Pista 65*.

Escuche la canción.

3 Listen to the song again, look at the lyrics in the transcript and sing along if you wish.

Escuche otra vez la canción, lea y cante si lo desea.

DOCUMENTAL 🎧

Now it's time to listen to another documentary in the series *En portada*. In this programme you are going to find out more about the Mercado Central in Valencia.

Read the following questions, then listen to *Pista 66* and try to answer them in English.

Escuche y responda en inglés.

principios (los)
beginning

cúpula (la)
dome

fresco
fresh

variedad (la)
variety

ofertas (las)
offers

huerta (la)
market garden, vegetable garden

(a) How big is the market?

(b) What produce is sold in the market?

(c) Why do people go to the market instead of the supermarket?

(d) In what way was the market a world first?

Sesión 10
¡A prueba!

This session consists of a self-assessment test which will give you an idea of the progress you have made throughout this unit. In the *Clave* you will find answers and explanations.

Part A

Test your vocabulary

1   Look at the groups of words below. Cross the odd one out in each case.

Tache la palabra intrusa.

(a) divertido • interesante • aburrido • prefiero

(b) calamares • trucha • cordero • merluza

(c) ternera • naranjas • manzanas • plátanos

(d) ida • billete • salida • genial

(e) aló • sí • dígame • tengo

2   Choose the correct word for each gap.

Complete el texto con las palabras del recuadro.

> habitantes • día • individual • lavandería • fecha •
> doble • lámpara • frigorífico

(a) Esta _____ no ilumina.

(b) Mi marido y yo queremos una habitación _____ .

(c) Madrid tiene menos _____ que Londres.

(d) La _____ de hoy es 6 de marzo.

(e) La _____ es donde se lava la ropa.

Test your grammar

1   Complete the gaps with the appropriate comparative word from the box.

Rellene los espacios en blanco con la palabra correspondiente.

> tan • más • que • como • menos

(a) El Everest es más alto _____ el Mont Blanc.

(b) En Sevilla hace _____ frío que en Edimburgo.

(c) Madrid es _____ bonita como París.

(d) Nueva York es _____ grande que Santiago.

(e) El fútbol no es tan divertido _____ el parapente.

2 Complete the gaps with the appropriate verb form from the box.

Rellene los espacios en blanco con la forma verbal correspondiente.

> gustan • quería • preferimos • gusta • preferís • tiene •
> apetece • paso • puedo • prefiere

(a) A nosotros en verano nos _____ los deportes pero en invierno _____ ir al cine.

(b) A vosotros os _____ mucho esquiar en invierno pero en verano _____ ir a la playa.

(c) _____ hacer una reserva. ¿ _____ una habitación doble?

(d) ¿Te _____ ir al concierto de música rock el domingo?

(e) – ¿ _____ hablar con el señor López?

   – Sí, un momento, ahora le _____ .

(f) Señor Ramírez, ¿qué _____ , la música clásica o el jazz?

3 Complete the gaps with the appropriate verb form from the box.

Rellene los espacios en blanco con la forma verbal correspondiente.

> funciona • bien • estropeado • le importaría • arreglar •
> cambiar

(a) Esta lámpara no_____ . ¿ _____ poner una bombilla nueva?

(b) El grifo no cierra _____ . ¿Puede _____ la bañera?

(c) ¿Le importaría _____ las sábanas? Están sucias.

(d) Hace mucho calor en esta habitación. El aire acondicionado está _____ .

Part B 🎧

Test your listening skills

Listen to the train station announcements on *Pista 67* and complete the table opposite.

Escuche y complete la tabla.

Procedencia	Destino	Hora	Andén
(a)	Murcia		
(b) —	Albacete		
(c) —			
(d) Teruel	—		4

Part C

Test your speaking skills

Imagine you are in Chile and you are booking train tickets. Ask for the following information in Spanish. Record yourself.

Grábese en su cinta.

(a) You want a return ticket to Temuco.

(b) For 6 April.

(c) What time does it leave?

(d) What time does it get there?

(e) What platform does it leave from?

Part D 🎧

Test your communication skills

1 Listen to *Pista 68* and answer the questions with full sentences.

Escuche y conteste las preguntas.

(a) ¿Cuántas habitaciones quiere?

(b) ¿Para cuántas noches es la reserva?

(c) ¿Para qué fecha es la reserva?

(d) ¿Qué tipo de habitación quiere?

(e) ¿Quiere una habitación con ducha o con baño?

2 Write down what you would say if you were booking the following over the phone. Then record yourself.

Grábese en su cinta.

Two rooms, singles with a shower, for 2 nights, for 6 July.

Clave

Actividad 1.1

1 Portillo y las termas de Chillán.

2 (a) Portillo, (b) Chillán.

Actividad 1.2

1 (a) – (iii), (b) – (iv), (c) – (v), (d) – (ii), (e) – (i).

Actividad 1.3

1 Marta > Portillo está **más** cerca que Chillán. Chillán es **más** grande, pero **menos** caro.

Ana > Portillo es **tan** bonito como Chillán.

Marco Antonio > Las termas de Chillán son **tan** interesantes como Portillo.

Marta > Yo ya conozco Portillo. ¿Vamos a Chillán?

Actividad 1.4

1 Here is a possible answer:

Valparaíso está más cerca que Zapallar.

Zapallar está más lejos que Valparaíso.

Zapallar es menos grande que Valparaíso.

Valparaíso es menos pequeño que Zapallar.

Valparaíso es tan caro como Zapallar.

Valparaíso es tan barato como Zapallar.

Actividad 2.1

1 (a) Luis.

(b) estación, casa.

Actividad 2.2

1 (a) – (iii), (b) – (ii), (c) – (iii).

Actividad 2.3

1 (a), (b), (d), (f), (h) (Note that *Vale* is used more commonly in Spain).

2 Here are some possible answers:

Sí. / Perfecto. / Estupendo. / Fenomenal. / Vale. (*De ninguna manera* and *en absoluto* both mean 'no way'.)

Actividad 2.4

There are a variety of options: the version presented on *Pista 48* is one possibility, but most of the expressions you have seen throughout this session will work in each case.

Actividad 2.5

¿Te apetece ir al teatro mañana a las siete? Besos, Marta

Actividad 3.1

1 (a) sí, (b) sí, (c) no, (d) sí, (e) sí, (f) no.

2 (a) – (iii), (b) – (i), (c) – (ii).

Actividad 3.3

1 Here is the correct version:

	Cliente 1	**Cliente 2**
¿Para cuándo?	el **tres** de febrero	el quince de **mayo**
¿Para cuántas noches?	**dos** noches	**tres** noches

2 (b) Quería una habitación para el veintiocho de julio.

(c) Quería una habitación para el lunes doce de enero.

(d) Quería una habitación para el quince de septiembre.

(e) Quería una habitación para el viernes uno de junio.

Actividad 4.1

1 la lámpara – *light*, la cama – *bed*, el armario – *wardrobe*, la radio – *radio*, el televisor – *television set*, el minibar – *mini bar*, el wáter/WC – *toilet*, la bañera – *bath*, el grifo – *tap*.

2 (a) ducha, (b) armario, (c) wáter/WC, (d) televisor.

3 (a) ¡No funciona nada en esta habitación! La radio no **funciona** y el televisor tampoco.

(b) El aire acondicionado está **estropeado**.

(c) No **hay** luz. La lámpara está rota.

(d) El frigorífico del minibar no **funciona**. ¡La Coca-Cola está caliente como la sopa!

Actividad 4.2

2 **Cambiar**: la bombilla, las sábanas; **arreglar**: el aire acondicionado, el armario, la ducha.

En pocas palabras

Dictionary skills

Accentuated: *tú* (you), *él* (he), *sí* (yes), *qué* (what).

Not accentuated: *tu* (your), *el* (the), *si* (if), *que* (conjunction).

Vocabulary practice

1 frigorífico – enfría, microondas – calienta, lámpara – ilumina, radio – suena, cortinas – cierran.

2 El frigorífico no enfría. El microondas no calienta. La lámpara no ilumina. La radio no suena. Las cortinas no cierran.

Actividad 5.1

1 (a) salida, (b) llegada, (c) ida, (d) ida y vuelta, (e) precios, (f) prensa, (g) facturación de equipajes.

2 El tren sale de Valencia a las **07:00** y llega a Alicante a las **09:01**. Es un tren **regional** y el precio del billete de ida y vuelta es **17,60 €**.

3

Procedencia	Destino	Hora	Andén
(a) Barcelona	Murcia	—	4
(b) —	Madrid	16:10	3
(c) —	Barcelona	16:20	4
(d) Castellón	—	16:33	1

Actividad 5.2

1 She forgot to buy a ticket.

2 **Trayecto**: Santiago–Chillán

Hora salida: 14:15

Destino: Chillán

Hora llegada: 19:15

Andén: 4

Actividad 5.3

1 This is the correct order:

(a) – Buenos días.

– Buenos días, ¿qué desea?

(d) – Un billete para Castellón, por favor.

– ¿De ida o de ida y vuelta?

(c) – De ida y vuelta.

– ¿Para cuándo?

(e) – Quiero ir el 27 de abril.

– Okey, ¿y para qué fecha quiere la vuelta?

(b) – El 30 de abril.

– Aquí tiene los billetes.

(f) – Muchas gracias.

– De nada.

Actividad 6.1

1 (a) **Frutería**: lechuga, tomate, cebolla, zanahorias, coliflor, pimientos, manzanas, naranjas, plátanos, fresas.
(b) **Charcutería**: jamón serrano, queso manchego.
(c) **Carnicería**: cordero, ternera.
(d) **Pescadería**: calamares, mejillones, almejas, trucha, salmón, merluza.

2 (a) frutería, (b) carnicería, (c) pescadería, (d) frutería.

Actividad 6.2

1

Fruta y verdura	Precio
Plátanos	1,50 €
Limones	1,20 €
Patatas	0,70 €
Tomates	1,70 €
Lechuga	0,90 €

Actividad 6.3

1 (a) – (iv), (b) – (i), (c) – (ii), (d) – (iii).

Actividad 6.4

1 Your list will be different, but here is a possible answer with the ingredients for a Spanish *tortilla*: *cuatro huevos, un kilo de patatas, una cebolla, sal y aceite.*

2 Here is a possible answer:

¿Cuánto valen los huevos? ¿A cuánto está el kilo de patatas? ¿Me pone media docena de huevos? ¿Me pone un kilo de patatas? ¿Me pone una cebolla? Un paquete de sal, por favor.

EspejoCultural _____

2 This is how these methods of payment would normally be used in Spain:

(a) *efectivo*: you can pay cash in all those circumstances except for catalogue and internet shopping.

(b) *cheque*: cheques are hardly used in Spain, except for business transactions. Most shops do not accept them. They are more commonly used in Latin America.

(c) *tarjeta de crédito*: these are accepted by most large establishments as well as for catalogue and online shopping. You cannot pay by card at the newsagent's, the baker's or the market. Most clothes shops are part of chains and they will take cards.

(d) *contra reembolso*: this is the normal payment method for catalogue shopping. Some internet sites will accept it too.

(e) *cheques de viaje*: only some department stores will accept these and in many cases reluctantly, though they are accepted more in tourist areas.

4 When people go out for a drink in Spain, they normally change bars for every round. In Latin America, however, it is more usual to stay in the same bar. The normal way of sorting the bill is for one person to pay for one round, and for another to pay for the next, and so on. In fact, on most occasions you have to argue to get to pay for a round! One person may treat the others if they are celebrating a special occasion, such as a birthday. When in a large group, a kitty, or *fondo común*, is a convenient way, as rounds are expensive for one person and there may not be an opportunity for everyone to buy one. It is unusual for the bill to be split in equal parts in bars, which is what normally happens in restaurants, where somebody normally volunteers to do the sums. Even when it is divided, it is not common practice for each person to pay the exact price of their food or drink.

Actividad 7.1

1

Características	MONTEVIDEO	VALENCIA
(a) Estatus	la capital de Uruguay	la capital de la Comunidad Valenciana
(b) No. de habitantes	1,3 millones	más de 750.000
(c) Temperaturas invierno y verano	verano 23º invierno 10º	verano 24º invierno 10º
(d) Superficie	530 km cuadrados	135 km cuadrados
(e) No. de aeropuertos	1	1
(f) No. de hoteles (aprox.)	60	60

2

Aspecto	Mejor Montevideo	Mejor Valencia	Igual
(a) clima	☐	☐	☒
(b) vida cultural	☒	☐	☐
(c) vida nocturna	☐	☒	☐
(d) comida	☐	☐	☒

Actividad 7.2

(a) Montevideo tiene **más** habitantes **que** Valencia.

(b) En Valencia hace **tanto** frío en invierno **como** en Montevideo.

(c) Valencia es **más** pequeña **que** Montevideo.

(d) Valencia tiene **tantos** aeropuertos **como** Montevideo.

(e) Montevideo es **más** grande **que** Valencia.

(f) En Montevideo hace **menos** calor en verano **que** en Valencia.

(g) Montevideo tiene **tantos** hoteles **como** Valencia.

Actividad 7.3

1 She prefers Pereira.

2 (a) Vosotros **preferís** los helados.

(b) Yo **prefiero** viajar en tren.

(c) No nos gusta ir al cine, **preferimos** ir al teatro.

(d) Ella **prefiere** comer chocolate.

(e) ¿Tú qué **prefieres** hace

? ( ) Los caballeros las **prefieren** rubia

. 3 Here is a possible answe

: Yo prefiero Newcastle porque
n Newcastle hace menos calor que
n Valenci

Yo prefiero Valencia porque Valencia tiene más museos que Luton.

Yo prefiero Londres porque Londres es más grande que Valencia.

Actividad 8.1

1 **Ventajas**: tienen muchas satisfacciones con su arte, pueden trabajar desde casa, no tienen jefe.

   Desventajas: ganan poco dinero, trabajan muchas horas, trabajan los fines de semana.

2 (b) Recibo los aplausos del público **pero** da mucho estrés.

   (c) Tengo mucha responsabilidad **y** hay pocas vacaciones.

   (d) Tengo horario flexible **pero** tengo que trabajar los fines de semana.

   (e) Gano mucho dinero **y** es un ambiente agradable.

   Note that you could have used *sin embargo* in (b) and (d), and *también* in (c) and (e).

Actividad 8.2

1

Profesión	Lo bueno	Lo malo
secretaria	el horario	la jefa
ama de casa	el contacto con los hijos	trabajo poco valorado
estrella de cine	la fama	los periodistas

2 Lo bueno de ser ama de casa es el contacto con los hijos pero lo malo (de ser ama de casa) es el trabajo poco valorado.

   Lo bueno de ser estrella de cine es la fama pero lo malo (de ser estrella de cine) son los periodistas.

3 Here is a possible answer:

   Lo bueno de ser jubilado es el tiempo libre pero lo malo (de ser jubilado) es la pensión.

   Lo bueno de vivir en la ciudad es el transporte pero lo malo (de vivir en la ciudad) es la polución.

   Lo bueno de ser estudiante de español es mi fantástico profesor pero lo malo (de ser estudiante de español) es... ¡no hay nada malo!

En pocas palabras

Vocabulary learning strategies

Some of the produce in the picture includes: *plátanos, manzanas, naranjas, uvas, peras, kiwis* and *mandarinas*.

Diario hablado

1 Here is a possible answer:

   Pescadería: merluza, salmón, mejillones, trucha...

   Carnicería: cordero, ternera, pollo...

   Frutería: manzanas, peras, naranjas, tomates, patatas, cebollas, pimientos...

   Charcutería: chorizo, salchichón, jamón, queso...

2 Here is a possible answer:

   Me pone medio kilo de chuletas de cordero.

   Me pone 300 gramos de queso.

   Me pone un cuarto de manzanas.

   Me pone una trucha.

SESIÓN 9

CÓMIC

El ocho de diciembre; el doce de diciembre; el quince de diciembre; el seis de diciembre.

The correct answer is *el seis de diciembre* (the Spanish constitution was ratified in 1978, and 6 December is a bank holiday).

CRUCIGRAMA

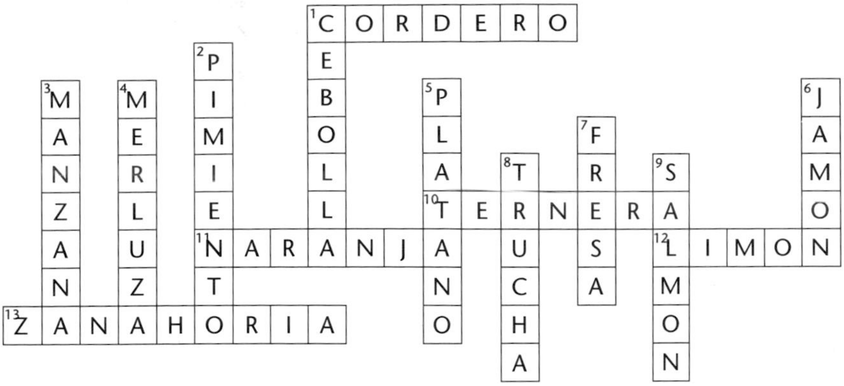
1 CORDERO
1 CEBOLLA
2 PIMIENTO
3 MANZANA
4 MERLUZA
5 PLATANO
6 JAMON
7 FRESA
8 TRUCHA
9 SALMON
10 TERNERA
11 NARANJA
12 LIMON
13 ZANAHORIA

EL PEDANTE

Hola a todos:

Aquí estoy, en Portillo. Es un sitio precioso. Hay más nieve que en Chillán. El hotel es espectacular, tiene **tantas** habitaciones como el hotel de Santiago. Las pistas son **tan** buenas como en Sierra Nevada. **Lo** malo **es** el tiempo: no hace **tan** bueno como en Santiago.

Besos

Antonio

MI GRAMÁTICA

(a) ¿Tiene una habitación libre?

Sí, ¿para **cuántas** noches?

Para tres.

¿Para **qué** fecha?

(b) Un boleto para Concepción, por favor.

¿Para cuándo?

Para el 14 de abril. ¿**Cuánto** vale?

12.000 pesos.

¿A **qué hora** sale?

A las nueve de la mañana.

¿**Cuándo** llega?

A las tres y media de la tarde.

TEST CULTURAL

(a) – (i), (b) – (iii), (c) – (ii), (d) – (i), (e) – (iii).

DOCUMENTAL

(a) It is enormous, the largest of its kind in Europe.

(b) Fresh produce: fruit and vegetables, fish and seafood, meats, spices, nuts, flowers.

(c) Because there is more variety, it is cheaper and the produce is fresher.

(d) It was the first market in the world to sell over the Internet.

SESIÓN 10

Part A

Test your vocabulary

1. (a) prefiero. (*It is a verb. The other words are adjectives.*)

   (b) cordero. (*It is a type of meat. The other words are types of fish.*)

   (c) ternera. (*It is a type of meat. The other words are types of fruit.*)

   (d) genial. (*It is an expression of enthusiasm. The other words are related to travel.*)

   (e) tengo. (*The other words are standard expressions for answering the phone.*)

2. (a) lámpara, (b) doble, (c) habitantes, (d) fecha, (e) lavandería.

Test your grammar

1. (a) El Everest es más alto **que** el Mont Blanc.

   (b) En Sevilla hace **menos** frío que en Edimburgo.

   (c) Madrid es **tan** bonita como París.

   (d) Nueva York es **más** grande que Santiago.

   (e) El fútbol no es tan divertido **como** el parapente.

2. (a) A nosotros en verano nos **gustan** los deportes pero en invierno **preferimos** ir al cine.

   (b) A vosotros os **gusta** mucho esquiar en invierno pero en verano **preferís** ir a la playa.

   (c) **Quería** hacer una reserva. ¿**Tiene** una habitación doble?

   (d) ¿Te **apetece** ir al concierto de música rock el domingo?

   (e) – ¿**Puedo** hablar con el señor López?
   – Sí, un momento, ahora le **paso**.

   (f) Señor Ramírez, ¿qué **prefiere**, la música clásica o el jazz?

3. (a) funciona, le importaría, (b) bien, arreglar, (c) cambiar, (d) estropeado.

Part B

Test your listening skills

Procedencia	Destino	Hora	Andén
(a) Barcelona	Murcia	11:20	2
(b) —	Albacete	11:35	1
(c) —	Granada	11:40	3
(d) Teruel	—	11:50	4

Part C

Test your speaking skills

(a) Quiero un billete / boleto de ida y vuelta para Temuco.

(b) Para el seis de abril.

(c) ¿A qué hora sale?

(d) ¿A qué hora llega?

(e) ¿De qué andén sale?

Remember that the intonation of questions is very important.

Part D

Test your communication skills

1 (a) Quiere una habitación.

   (b) La reserva es para cuatro noches.

   (c) La reserva es para el diez de junio.

   (d) Quiere una habitación doble.

   (e) Quiere una habitación con baño.

2 Quería reservar dos habitaciones individuales con ducha para dos noches, para el seis de julio.

Transcripciones CD 3

[The music which starts and ends CD3 is an extract from *Canarios* by Gaspar Sanz (1640 – 1710).]

[Pista 1]

This is the CD for Book 3 of the Open University Spanish course for beginners, *Portales*.

Este es el Compacto de actividades de Portales *3.*

Pista 2

Listen to these people talking about opening and closing times in Valencia.

Escuche los diálogos sobre los horarios.

(a) En una horchatería:
- – ¿A qué hora abre?
- – Yo a las nueve de la mañana.
- – ¿Y a qué hora cierra?
- – Siete y media u ocho de la tarde.
- – Gracias.

(b) En un kiosco de lotería de la ONCE:
- – ¿A qué hora abre?
- – A las ocho de la mañana.
- – ¿A qué hora cierra?
- – A la una y media.
- – ¿Abre por la tarde?
- – No, en verano, no.

(c) En un bar:
- – ¿A qué hora abre el bar?
- – Pues abro a las once de la mañana.
- – ¿Y a qué hora cierra?
- – Pues a las doce de la noche.
- – ¿Cierra al mediodía?
- – No.

Pista 3

Now see if you can find out at what time some places open and close. Use the prompts and follow the example.

Escuche y pregunte según las indicaciones.

Ejemplo

(la farmacia)

¿A qué hora abre la farmacia?

¿A qué hora cierra la farmacia?

Ahora usted:

(el estanco)

¿A qué hora abre el estanco?

¿A qué hora cierra el estanco?

(Correos)

¿A qué hora abre Correos?

¿A qué hora cierra Correos?

(el banco)

¿A qué hora abre el banco?

¿A qué hora cierra el banco?

(el museo)

¿A qué hora abre el museo?

¿A qué hora cierra el museo?

Pista 4

Here are some schoolchildren reciting the days of the week.

Escuche a los niños decir los días de la semana.

- – ¿Qué día es hoy?
- – Hoy es lunes.
- – ¿Qué día es hoy?
- – Hoy es martes.

- ¿Qué día es hoy?

- Hoy es miércoles.

- ¿Qué día es hoy?

- Hoy es jueves.

- ¿Qué día es hoy?

- Hoy es viernes.

- ¿Qué día es hoy?

- Hoy es sábado.

- ¿Qué día es hoy?

- Hoy es domingo.

Pista 5

The children like some days better than others.

Escuche a los niños hablar de su día preferido de la semana.

(a) – ¿Cómo te llamas?

- Laura.

- ¿Cuántos años tienes, Laura?

- Ocho.

- ¿Y cuál es tu día preferido?

- El viernes.

(b) – Hola.

- Hola.

- ¿Cómo te llamas?

- Noelia.

- Noelia. ¿Cuántos años tienes?

- Nueve.

- ¿Cuál es tu día preferido?

- Sábado.

(c) – Hola.

- Hola.

- ¿Cómo te llamas?

- Estefanía.

- ¿Cuántos años tienes?

- Ocho.

- Estefanía, ¿cuál es tu día preferido?

- Viernes.

(d) – ¿Cómo te llamas?

- Edgar.

- ¿Cuántos años tienes?

- Nueve.

- ¿Cuál es tu día preferido?

- El lunes.

- ¿Por qué?

- Porque me gusta mucho.

Pista 6

A friend of yours is trying to arrange a time to meet up. The only problem is that you seem to be rather busy. Use the prompts to reply to her questions. First there's an example.

Conteste las preguntas según las indicaciones.

Ejemplo

Y, a ver, ¿qué haces los lunes?

(dar un paseo con mi madre)

Los lunes doy un paseo con mi madre.

Ahora usted:

- Pues, entonces, ¿qué haces los miércoles?

- (salir con los amigos)

- Los miércoles salgo con los amigos.

- Y los jueves, ¿qué haces los jueves?

- (hacer deporte en el gimnasio)

- Los jueves hago deporte en el gimnasio.

- Chico, tienes una agenda muy apretada. ¿Qué haces los sábados?

- (ir al fútbol con mi hijo)

- Los sábados voy al fútbol con mi hijo.

- Pues nada, ¿y los domingos? ¿Qué haces los domingos?

– (estar en casa, poner música y descansar)

– Los domingos estoy en casa, pongo música y descanso.

– Ah, no, este domingo no, este domingo no descansas. ¡Sales conmigo!

Pista 7

Listen to some people saying what kind of things they like doing.

Escuche lo que les gusta hacer a varias personas.

(a) – Y… ¿qué te gusta hacer en tu tiempo libre?

– Pues me gusta jugar al fútbol, escuchar música, salir con los amigos.

(b) – Me gusta hacer deporte, me gusta el fútbol, mm… cantar, bailar, salir con mis amigas, ir al cine…

(c) – ¿Qué te gusta hacer?

– Me gusta cantar, me gusta leer, me gusta jugar al fútbol…

(d) – ¿Qué te gusta hacer?

– Me gusta comer macarrones, paella y tortilla de patatas.

Pista 8

Answer the questions about likes by using the prompts. First here's an example.

Escuche las preguntas y responda según las indicaciones.

Ejemplo

¿Qué te gusta hacer?

(ir a bailar)

Me gusta ir a bailar.

Ahora usted:

– ¿Qué te gusta hacer en tu tiempo libre?

– (salir con los amigos)

– Me gusta salir con los amigos.

– ¿Qué te gusta hacer en tu tiempo libre?

– (escuchar música)

– Me gusta escuchar música.

– ¿Qué te gusta hacer en tu tiempo libre?

– (navegar por internet)

– Me gusta navegar por internet.

– ¿Qué te gusta hacer en tu tiempo libre?

– (ver los trenes pasar)

– Me gusta ver los trenes pasar.

– ¿Cómo?

– Sí, me gusta ver los trenes. Mira este, la locomotora es japonesa, Hitachi, del año 1975…

Pista 9

Listen to these people talking about how they get around.

Escuche a la gente hablar sobre el medio de transporte que utilizan.

(a) – ¿Cómo vas a la universidad?

– Normalmente voy a la universidad en coche.

(b) – ¿Cómo va al trabajo?

– Andando. Voy andando, a pie.

(c) – Voy… yo, voy al trabajo andando.

(d) – Voy al trabajo en metro.

(e) – ¿Cómo vas al trabajo?

– Al trabajo voy en autobús.

(f) – ¿Cómo vas al trabajo en Montevideo?

– En colectivo.

Pista 10

Now it's your turn. Listen to the example, then answer using the prompts.

Escuche y responda según las indicaciones.

Ejemplo

¿Cómo vas al trabajo?

(metro)

Voy al trabajo en metro.

Ahora usted:

- ¿Cómo vas a la universidad?
- (pie)
- Voy a la universidad a pie.

- ¿Cómo vas al centro?
- (autobús)
- Voy al centro en autobús.

- ¿Cómo vas a la compra?
- (coche)
- Voy a la compra en coche.

- ¿Cómo vas a la playa?
- (tren)
- Voy a la playa en tren.
- ¿Y cómo vuelves?
- Vuelvo muy relajada y muy contenta.

Pista 11

These people are discussing how long it takes them to get to work. It depends on the means of transport.

Escuche las entrevistas sobre cuánto tarda la gente en ir al trabajo según el transporte.

- ¿Cuánto tarda en ir a trabajar en autobús?
- Tardo media hora.
- ¿Y cuánto tarda en ir a trabajar en metro?
- En metro tardo quince minutos.
- Ya. ¿Y cuánto tarda en ir a trabajar en taxi?
- Tardo diez minutos.
- ¿Cuánto tarda en ir a trabajar en coche?

- En coche tardo cuarenta minutos. ¡Con lo difícil que es encontrar aparcamiento!

Pista 12

This is a typical day for Jaime.

Escuche la rutina diaria de Jaime.

¿Un día normal? Bueno, mis días no son muy normales, eh. Bueno, pues, me despierto a las cinco de la tarde, me levanto, me ducho, me visto y sobre las seis desayuno.

A las siete hago la compra, y luego, pues veo la tele o leo. Ceno a las diez de la noche y a las once y media me voy al trabajo y empiezo el trabajo a medianoche, sí, sí, a las doce de la noche.

Salgo de trabajar a las ocho de la mañana y normalmente me acuesto a las nueve de la mañana.

Pista 13

Listen to the questions about daily routines and answer using the prompts. Follow the example.

Escuche y responda a las preguntas sobre los hábitos diarios.

Ejemplo

¿A qué hora te despiertas?

(a las ocho)

Me despierto a las ocho.

Ahora usted:

- ¿A qué hora te levantas?
- (a las ocho y cuarto)
- Me levanto a las ocho y cuarto.

- ¿A qué hora te duchas?
- (a las ocho y media)
- Me ducho a las ocho y media.

- ¿A qué hora te vistes?
- (a las nueve menos cuarto)

– Me visto a las nueve menos cuarto.

– ¿A qué hora te acuestas?

– (a las once)

– Me acuesto a las once.

Pista 14

Now here's Teresa, a Valencian woman, talking about her routine.

Escuche cómo es un día normal para Teresa, una valenciana.

– ¿Qué haces por las mañanas?

– Llevo a los niños al colegio y me voy a trabajar.

– Y por las tardes, ¿qué haces normalmente?

– Recojo a los niños del colegio y voy a comprar.

– Y por las noches, ¿qué haces?

– La cena y dormir.

Pista 15

Listen to this person talking about food and mealtimes in Spain.

Escuche a esta persona hablar sobre las comidas en España.

En España la primera comida del día es el desayuno, por ejemplo un café con galletas.

La comida más fuerte del día es la comida, o el almuerzo. Generalmente se come entre las dos y las tres de la tarde. La comida consiste normalmente en un primer plato: generalmente sopa o legumbres. Luego hay un segundo plato, carne o pescado, y por último postre, fruta o un dulce y café.

Después del colegio, los niños toman la merienda: normalmente un bocadillo o un dulce.

Y la última comida del día es una cena ligerita, una tortilla, ensalada o unas tapas.

Mm… ¡Qué hambre! Me voy a comer.

Pista 16

Listen to these two people talking about what they normally eat.

Escuche a estas dos personas hablar sobre la comida.

(a) Un uruguayo:

– ¿Se come pan en las comidas en Montevideo?

– No, no se come tanto pan.

– ¿Qué se suele beber?

– Mm, mucha, mucha agua.

– ¿Se toma primer plato y segundo plato?

– Eh, sí. Suele ser una ensalada de primero, y generalmente carne de segundo.

(b) Un colombiano:

– ¿Comes pan en las comidas?

– No, no, no, como arepa.

– ¿Cómo es la arepa?

– La arepa es una masa que se hace de maíz, y está muy bien.

– ¿Tomas primer plato?

– En mi país no. En mi país se suele tomar un solo plato.

Pista 17

Here are some telephone tones. Which ones do you think are Spanish?

Escuche los tonos del teléfono. ¿Cuáles son españoles?

(a) (English phone ringing)

(b) (Spanish phone ringing)

(c) (English engaged signal)

(d) (Spanish engaged signal)

Pista 18

Here are some people answering the phone.

Escuche cómo responden al teléfono estas personas.

(a) – Muebles Pérez, buenas tardes.

(b) – Teatro Cervantes.

(c) – Ayuntamiento, dígame.

(d) – Este es el servicio automático del cine Roxy. Para información de películas pulse uno, para reservar entradas pulse dos, para hacerse miembro del Cineclub pulse tres, para hablar con la operadora pulse cuatro, para…

– Y para hablar con mi novio, ¿qué hago? Juan, mi amor, Juan, ¿estás ahí?

Pista 19

Listen to the beginning of this telephone conversation.

Escuche el comienzo de esta conversación telefónica.

Secretaria ¡Dígame!

Hernán ¿Puedo hablar con el señor Gonzalo Reina?

Secretaria ¿De parte de quién?

Hernán Hernán Echevarría, de Fuentesol.

Secretaria Sí, un momento, le paso.

Hernán ¿Gonzalo? Hola, soy Hernán. Mira, te llamo…

Pista 20

Ask to be put through to the person or place indicated in each prompt. More than one answer is correct. Follow the example.

Pregunte por la persona o lugar indicados.

Ejemplo
Ayuntamiento, dígame.

(el señor Rodríguez)

Por favor, ¿puedo hablar con el señor Rodríguez?

Ahora usted:

(a) – Muebles Pérez, buenas tardes.

– (Departamento de Ventas)

– ¿Me pone con el Departamento de Ventas?

(b) – Facultad de Filología, buenos días.

– (extensión 3452)

– ¿Con la extensión 3452?

(c) – Hospital La Macarena. Recepción, dígame.

– (Urgencias)

– ¿Me puede poner con Urgencias?

(d) – Cine Roxy.

– (Juan Pastor)

– ¿Puedo hablar con Juan Pastor, por favor?

Pista 21

Listen to someone trying to get through to Señora Villalobos.

Alguien intenta contactar a la señora Villalobos. Escuche.

(a) – Con la señora Villalobos, por favor.

– No, aquí no hay ninguna señora Villalobos. Se ha equivocado de número.

– Ah, perdone.

– Nada. Adiós.

(b) – Con la señora Villalobos, por favor.

– ¿Quién llama?

– Hernán Echevarría.

– Un momento, ahora le paso. Lo siento. Está comunicando.

– Okey, le llamo más tarde.

(c) – Por favor, ¿puedo hablar con la señora Villalobos?

– Sí, un momentito. Lo siento, señor, en este momento no está.

– ¿No?

(d) – Su móvil no tiene suficiente crédito.
Su móvil no tiene suficiente crédito.
Su móvil no tiene suficiente crédito.

Pista 22

Listen to these questions about the weather and answer using the prompts. Follow the example.

Escuche las preguntas sobre el tiempo y responda según las indicaciones.

Ejemplo

¿Qué tiempo hace?

(It's sunny.)

Hace sol.

Ahora usted:

– ¿Qué tiempo hace?

– (It's hot.)

– Hace calor.

– ¿Qué tiempo hace?

– (It's 25 degrees.)

– Hace veinticinco grados.

– ¿Qué tiempo hace?

– (It's windy.)

– Hace viento.

– ¿Qué tiempo hace?

– (It's cold.)

– Hace frío.

– ¿Qué tiempo hace?

– (It's raining.)

– Llueve. ¡Esto es Inglaterra!

Pista 23

Here's a game. After the tone, say the name of the month that comes next.

Ahora un juego. Diga el mes que sigue en la serie.

Ejemplo

enero	marzo	mayo
(…)	(…)	(…)
febrero	abril	junio

Ahora usted:

enero	enero
(…)	(…)
marzo	marzo
(…)	(…)
mayo	mayo
(…)	(…)
julio	julio
(…)	(…)
septiembre	septiembre
(…)	(…)
noviembre	noviembre
(…)	(…)
¡Ahora más deprisa!	¡Muy bien!

Pista 24

Listen to this dialogue about the weather in Valencia.

Escuche este diálogo sobre el tiempo en Valencia.

– ¿Qué tiempo hace en Valencia en invierno?

– En invierno en Valencia no hace mucho frío.

– ¿Llueve mucho?

– No, no llueve mucho en Valencia.

– ¿Qué tiempo hace en verano en Valencia?

– En verano hace mucho calor, mucho sol.

Pista 25

Here's a popular song that children sing when it's about to rain or when it's raining.

Escuche esta canción popular que los niños cantan cuando llueve o va a llover.

> Que llueva,
> que llueva,
> la Virgen
> de la Cueva.
> Los pajaritos cantan,
> las nubes se levantan.
> Que sí, que no,
> que caiga un chaparrón.
> Que rompa los cristales
> de la estación.

[Let it rain, / let it rain, / the Virgin / of the Cave. / The birds are singing, / the clouds are lifting. / Yes, no, / let a downpour fall. / Let it break the windows / at the station.]

Pista 26

DOCUMENTAL 1
El campanero de la torre del Micalet

Now it's time now for our documentary series, En portada. *Today's programme is about the bell-ringer from the tower of Micalet, part of Valencia cathedral. You'll find out about his job and his daily routine. And you'll even meet the bells.*

Hola a todos. Bienvenidos a una nueva edición de *En portada* dedicada al campanero de la torre del Micalet.

En Valencia hay una catedral. La catedral tiene una torre con campanas: un campanario que se llama popularmente El Micalet. En el campanario trabaja un valenciano con una gran pasión: las campanas.

Entrevistadora   ¿Cómo se llama?

Francesc   Me llamo Francesc, Francesc Llop.

Entrevistadora   ¿En qué trabaja?

Francesc   Yo soy campanero, pero generalmente trabajo en la administración. Soy funcionario.

Francesc es campanero, toca las campanas de la torre del Micalet. Y también es funcionario. ¿Cómo es un día normal en su trabajo?

Francesc   Por la mañana voy a la oficina y estoy todo el día en la oficina.

Entrevistadora   Y por las tardes, ¿qué hace?

Francesc   Por las tardes navego por internet para ver cosas de campanas.

Entrevistadora   Y por las noches, ¿qué hace?

Francesc   Por las noches duermo.

Por las mañanas trabaja en una oficina y por las tardes cultiva su pasión por las campanas en internet. Pero los días de fiesta, Francesc no trabaja en la oficina. Él toca las campanas con un grupo de quince o veinte campaneros. ¿Cómo es un día de fiesta, para Francesc? ¿Qué hace?

Francesc   Un día de fiesta por la mañana subo las escaleras y toco las campanas.

Entrevistadora   Y por las tardes, ¿qué hace?

Francesc   Los días de fiesta tocamos por la mañana, a mediodía, y por la tarde.

Entrevistadora   Y por las noches, ¿qué hace?

Francesc   Por las noches no tocamos las campanas. No tenemos la tradición de tocar las campanas por la noche.

Por las mañanas sube las escaleras de la torre y toca las campanas. Las campanas están muy altas, a unos cincuenta metros de altura. Pero vamos a la sala de campanas.

Francesc   Estamos en una sala de campanas. Estamos en un campanario.

Entrevistadora   ¿Y aquí cuántas campanas hay?

Francesc   Aquí hay once campanas, once campanas antiguas. Todas las campanas tienen nombre. Aquí las campanas tienen nombre de chico y de chica. Hay campanas como María que le llamamos La María, y hay campanas como Manuel que le llamamos El Manuel.

Ahora escuchamos a Francesc tocar una de las campanas del Micalet, la más antigua, La Caterina.

Pero en Valencia hay muchos campanarios, aparte del Micalet.

Entrevistadora ¿Por qué hay tantos campanarios en Valencia?

Francesc Porque en Valencia estamos locos por las campanas, por la música. Una fiesta en Valencia sin campanas, sin música, y sin pólvora, no es una fiesta.

Pista 27

Here's a man talking about his weekly routine.

Escuche a este señor hablar sobre su rutina.

Vivo en Santiago de Chile. Vivo lejos del trabajo. Los lunes y los martes voy al trabajo en metro. Todos los días salgo de casa a las ocho. Los miércoles, jueves y viernes voy en auto con un amigo. A menudo vuelvo a casa cerca de las siete de la tarde. Pero a veces vuelvo más tarde porque como en un restaurante. Los domingos doy un paseo por el parque.

Pista 28

Listen to this interview.

Escuche la siguiente entrevista.

– Carmen, ¿a qué hora te levantas?

– Normalmente me levanto a las seis de la mañana y me ducho a las seis y media.

– ¿Vas al trabajo a las siete?

– No, voy al trabajo a las siete y media.

– ¿Comes en el trabajo?

– Sí, almuerzo a las dos en la cafetería. Por la noche ceno en casa y me acuesto a las once de la noche.

Pista 29

Now *Español de bolsillo*. Here are all the phrases featured in this unit.

Ahora escuche las frases del Español de bolsillo *que aparecen en esta unidad.*

¿A qué hora abre?

¿A qué hora cierra?

A las nueve y media de la mañana.

¿Cierra a mediodía?

¿Abre por la tarde?

Pista 30

¿Qué día es hoy?

Hoy es lunes.

Hoy es martes.

Pista 31

¿Cuál es tu día preferido?

Mi día preferido es el lunes.

Mi día preferido es el sábado.

Pista 32

¿Qué te gusta hacer en tu tiempo libre?

Me gusta navegar por internet.

Me gusta hacer deporte.

Pista 33

¿Cómo vas al trabajo?

Voy andando.

Voy en autobús.

Pista 34

¿Cuánto tarda en ir al trabajo?

¿Cuánto tardas?

Tardo veinte minutos.

Pista 35

¿A qué hora te levantas?

Me levanto a las ocho.

¿A qué hora te acuestas?

Me acuesto a las once.

Pista 36

¿Qué haces por las mañanas?

Por las mañanas llevo a los niños al colegio.

¿Qué haces por las tardes?

Por las tardes recojo a los niños del colegio.

Pista 37

¡Dígame!

¿Sí?

Al habla.

¿Aló?

Digo. [Diga.]

Pista 38

Por favor, ¿puedo hablar con el señor Gonzalo Reina?

¿Me pone con el señor Gonzalo Reina?

¿Con el señor Gonzalo Reina, por favor?

¿De parte de quién?

¿Quién llama?

¿Con quién hablo?

Pista 39

Sí, un momento, le pongo.

Sí, un momento, le paso.

Sí, enseguida.

Pista 40

Aquí no hay ninguna señora Villalobos.

Se ha equivocado de número.

Está comunicando.

En este momento no está.

¿Puedo dejar un mensaje?

Pista 41

¿Qué tiempo hace hoy?

Hace sol.

Hace calor.

Hace frío.

Hace viento.

Hace veinte grados.

Hace buen tiempo.

Hace mal tiempo.

Llueve.

Pista 42

Listen to these comparisons and repeat.

Escuche estas comparaciones y repita.

(a) El camping es más barato que el hotel.

(b) El tren es menos contaminante que el autobús.

(c) La fruta es mejor que los dulces.

(d) El campo es más tranquilo que la ciudad.

(e) España está más cerca que Chile.

– Bueno, depende, ¿no? Si vives en Argentina, España está mas lejos. Todo es relativo.

Pista 43

You are now going to compare Valencia with Santiago. Complete these sentences, adding the second part of the comparison. Follow the examples.

Ahora va a comparar Valencia con Santiago. Complete las frases.

Ejemplo 1

(Valencia es más pequeña…)

Valencia es más pequeña que Santiago.

Ejemplo 2

(Valencia es tan divertida…)

Valencia es tan divertida como Santiago.

Ahora usted:

(Valencia es más antigua…)

Valencia es más antigua que Santiago.

(Valencia es tan interesante…)

Valencia es tan interesante como Santiago.

(Valencia está menos contaminada…)

Valencia está menos contaminada que Santiago.

(Valencia es tan bonita…)

Valencia es tan bonita como Santiago.

Pista 44

Listen to these telephone conversations.

Escuche estas conversaciones telefónicas.

(a) En España:

- – ¿Sí?
- – Buenas tardes, ¿está Marisa?
- – Sí, soy yo.
- – Hola, soy Luis.
- – ¡Hombre, Luis! ¿Qué tal?
- – Pues muy bien. Mira, te llamo para decir…

(b) En Chile:

- – ¿Aló?
- – Hola, ¿está Julio Alberto?
- – Sí, él habla.
- – Hola, habla Josefa.
- – Hola Josefa, ¿dónde estás?
- – Estoy en la estación. Y tú, ¿dónde estás?
- – Josefa, estoy en casa. Tú has llamado a casa.
- – Ay, es verdad.

Pista 45

Listen to and complete these telephone conversations using the prompts.

Escuche y complete la conversación telefónica según las indicaciones.

- – ¿Dígame?
- – (Ask for Lola.)
- – ¿Está Lola?
- – Sí, soy yo.
- – (Greet her and say who you are.)
- – Hola, Lola, soy yo.
- – Hola, ¿qué tal estás? ¿Qué tal tus vacaciones en América del Sur?

Pista 46

Listen to Pilar and Nacho talking on the telephone.

Escuche la conversación telefónica entre Pilar y Nacho.

Pilar ¿Sí?

Nacho Hola, ¿está Pilar?

Pilar Sí, soy yo.

Nacho Hola, soy Nacho.

Pilar ¿Qué tal, Nacho?

Nacho Muy bien. Oye, mira que, ¿te gustaría ir al cine esta tarde?

Pilar Huy, sí, estupendo. ¿A qué hora?

Nacho ¿A las siete y media?

Pilar Vale, perfecto. Voy a comprar los billetes…

Pista 47

Use the prompts to invite people out.

Haga invitaciones según las indicaciones.

Ejemplo

(ir a la piscina)

¿Te apetece ir a la piscina?

Or:

¿Te gustaría ir a la piscina?

It doesn't matter which one you use.

Ahora usted:

(ir al concierto)

¿Te gustaría ir al concierto?

(tomar una cerveza)

¿Te gustaría tomar una cerveza?

(ir a la playa)

¿Te apetece ir a la playa?

(ir al fútbol)

¿Te apetece ir al fútbol?

Pista 48

Listen to this dialogue between Sandra and a friend making plans on the phone.

Escuche esta conversación telefónica entre dos amigas.

- ¿Dígame?
- Hola Sandra, soy yo.
- ¡Hola! ¿Qué tal?
- Muy bien. Oye, ¿te gustaría ir a la playa?
- Ah sí, genial. ¿Cuándo?
- ¿Te apetece ir esta tarde?
- Vale, estupendo, pero… hoy llueve, ¿no es día de playa, no?

Pista 49

Now you are going to make enquiries about rooms in different hotels. Complete these dialogues using the prompts. Follow the example.

Complete los diálogos según las indicaciones.

Ejemplo

Hola, buenas tardes.

(a single room)

¿Tiene una habitación individual?

Ahora usted:

- Hola, buenas tardes.
- (a single room)
- ¿Tiene una habitación individual?
- ¿Con ducha o con baño?
- (with a shower)
- Con ducha.

- Buenos días.
- (a double room)
- ¿Tiene una habitación doble?
- ¿Con ducha o con baño?
- (with a shower)
- Con ducha.

- Hola, buenas tardes.
- (a room with two beds)
- ¿Tiene una habitación con dos camas?
- ¿Con ducha o con baño?
- (with a bath)
- Con baño.

Pista 50

Here's a flustered hotel receptionist taking bookings on the phone.

Escuche estas reservas de hoteles por teléfono.

- Hotel Portales, buenas tardes.
- Buenas tardes. Quería hacer una reserva.
- Muy bien. ¿Para cuándo?
- Para el tres de febrero.
- ¿Y para cuántas noches?

– Para dos noches.

– Para dos noches. Muy bien para el tres de febrero… tengo todos los detalles. Vale, hasta luego. Bueno, pues ahora un café. Hotel Portales, dígame.

– Buenas tardes. Quería hacer una reserva.

– Una reserva. ¿Para qué fecha?

– Para el quince de mayo.

– Ajá. ¿Y para cuántas noches?

– Para tres noches.

– Muy bien, tres noches… Uff, por fin, ahora el café. ¡Ay, no! ¡Hotel Portales! ¿Qué?

Pista 51

Use the prompts to book a hotel room. Follow the example.

Reserve una habitación de hotel según las indicaciones.

Ejemplo

Buenos días. ¿Qué desea?

(You'd like to make a booking.)

Quería hacer una reserva.

Ahora usted:

– Buenos días. ¿Qué desea?

– (You'd like to make a booking.)

– Quería hacer una reserva.

– Sí. Muy bien. ¿Para qué fecha?

– (the second of May)

– Para el dos de mayo.

– De acuerdo. ¿Qué tipo de habitación?

– (a double room)

– Una habitación doble.

– ¿Con ducha o con baño?

– (with a bath)

– Con baño.

– ¿Para cuántas noches?

– (two nights)

– Para dos noches.

– Bien. ¿Su nombre, por favor?

Pista 52

Listen to this person's complaints about her hotel room.

Escuche las quejas de esta persona sobre la habitación de su hotel.

(a) No sale agua caliente.

(b) El armario no abre bien.

(c) La cisterna no funciona.

(d) El televisor está estropeado. ¡Qué desastre!

Pista 53

Things aren't right with your hotel room. Use the prompts to try and get them fixed. Listen to the example first.

Escuche y pregunte según las indicaciones.

Ejemplo

Buenos días. El grifo no cierra bien.

(¿Le importaría arreglar…?)

¿Le importaría arreglar el grifo?

Ahora usted:

La calefacción no funciona.

(¿Puede arreglar…?)

¿Puede arreglar la calefacción?

Las sábanas están sucias.

(¿Puede cambiar…?)

¿Puede cambiar las sábanas?

El aire acondicionado no funciona.

(¿Le importaría arreglar…?)

¿Le importaría arreglar el aire acondicionado?

La ducha no funciona.

(¿Puede arreglar...?)

¿Puede arreglar la ducha?

Pista 54

Listen to these station announcements.

Escuche los anuncios de la estación.

(a) El tren procedente de Barcelona con destino Murcia va a efectuar su salida del andén número cuatro.

(b) Pasajeros para el tren de las 16:10 con destino Madrid Atocha al andén número tres.

(c) El Euromed con destino Barcelona va a efectuar su salida del andén número cuatro a las 16:20.

(d) El Regional procedente de Castellón efectuará su llegada a las 16:33 al andén número uno.

Pista 55

Listen to this conversation in a ticket office.

Escuche este diálogo en una ventanilla de una estación de trenes.

Taquillero   Buenas tardes.

Marta   Aló. Mire, ¿hay un tren directo de Santiago a Chillán?

Taquillero   Sí, señora.

Marta   Ah, muy bien. Y, ¿a qué hora sale?

Taquillero   Hay uno ahora, a las 14:15.

Marta   ¡Qué bien! Y, ¿cuánto se demora?

Taquillero   Cinco horas. Llega a Chillán a las 19:15.

Marta   Muy bien. Y, ¿de qué andén sale?

Taquillero   Sale del andén número cuatro.

Marta   Okey, muchas gracias. Voy al andén número cuatro.

Taquillero   ¡Pero señora, su boleto! ¡Necesita un boleto!

Pista 56

Use the prompts to get some information about trains. Follow the example.

Infórmese sobre distintos trenes según las indicaciones.

> ### Ejemplo
> (tren directo para Sevilla)
> ¿Hay un tren directo para Sevilla?

Ahora usted:

(tren directo para Sevilla)

¿Hay un tren directo para Sevilla?

(hora de salida)

¿A qué hora sale?

(andén)

¿De qué andén sale?

(hora de llegada)

¿A qué hora llega?

(duración del trayecto)

¿Cuánto tarda?

Pista 57

You're off on a train trip and need to book some tickets. Get the types mentioned.

Reserve varios billetes de tren según las indicaciones.

(a) –   Buenos días.

   –   (ticket to Sevilla, please)

   –   Un billete para Sevilla, por favor.

   –   ¿De ida o de ida y vuelta?

   –   (one way)

   –   De ida.

   –   ¿Para cuándo?

   –   (April the 27th)

   –   Para el veintisiete de abril.

(b) – Buenas tardes.

   – (ticket to Santiago)

   – Un boleto para Santiago.

   – ¿De ida o de ida y vuelta?

   – (return)

   – De ida y vuelta.

   – ¿Para cuándo?

   – (August the 23rd)

   – Para el veintitrés de agosto. Y la vuelta para el veinticinco de agosto.

Pista 58

Listen to these stallholders in the market hall in Valencia.

Escuche a estos vendedores de los puestos del Mercado Central de Valencia.

(a) – ¿Qué vende aquí?

   – Pues vendo pimientos, vendo tomates, vendo lechuga, vendo patatas.

(b) – ¿Qué vende aquí?

   – Cordero, ternera y cerdo.

(c) – ¿Qué vende aquí?

   – Tenemos calamares, mejillones, almejas.

(d) – ¿Qué se vende aquí?

   – Plátanos, fresas, cerezas, albaricoques y ciruelas.

Pista 59

Here's someone asking about the price of fruit and vegetables.

Escuche a esta persona preguntando los precios de la fruta y la verdura.

– ¿Cuánto valen los plátanos?

– Uno cincuenta el kilo.

– ¿A cuánto están los limones?

– Los limones a uno veinte el kilo.

– ¿Cuánto vale el kilo de patatas?

– Setenta céntimos.

– ¿A cuánto está el kilo de tomates?

– A uno setenta.

– ¿Y cuánto cuesta esta lechuga?

– La lechuga noventa céntimos. Pero, ¿compra o no compra?

Pista 60

Now you're in the market. Ask about the price of fish and meat. Listen to the example first.

Pregunte el precio de los productos según las indicaciones.

Ejemplo
(squid)

   ¿A cuánto están los calamares?

Ahora usted:

(hake)

¿A cuánto está la merluza?

(trout)

¿Cuánto cuesta la trucha?

(pork chops)

¿Cuánto cuestan las chuletas de cerdo?

(lamb chops)

¿A cuánto están las chuletas de cordero?

(chicken)

¿Cuánto cuesta el pollo?

Pista 61

You've nearly finished your shopping in the market. Now use the prompts to buy a few things. Follow the example.

Complete la conversación y pida los productos según las indicaciones.

Ejemplo

Hola, ¿qué le pongo?

(cordero – medio kilo)

Me pone medio kilo de cordero.

Ahora usted:

– Bien. ¿Algo más?

– (cerdo – un kilo)

– Me pone un kilo de cerdo.

– Muy bien. ¿Otra cosita?

– (ternera – un cuarto)

– Me pone un cuarto de ternera.

– ¿Algo más?

– (jamón serrano – doscientos gramos)

– Me pone doscientos gramos de jamón serrano.

– ¿Qué más le pongo?

– Huy, no, no, ya está, eso es todo… Bueno, vale, Pluto, ¡ay!, y un hueso para Pluto.

Pista 62

Listen to this man from Uruguay comparing Montevideo and Valencia.

Escuche a este uruguayo comparando Montevideo y Valencia.

– ¿Hay alguna diferencia de clima entre Valencia y Montevideo?

– No, es muy similar.

– ¿Y la vida cultural?

– Mucho más rica en Montevideo, en Uruguay, que aquí en Valencia.

– ¿Y la vida nocturna? ¿Es diferente?

– Sí, creo que hay más variedad aquí.

– ¿Qué comida te gusta más, aquí o allí?

– Las dos. Lo que pasa es que allí el plato típico es la carne y aquí el plato típico es el arroz, pero los dos son ricos.

Pista 63

Listen to this woman comparing Pereira, in Colombia, and Valencia.

Escuche a esta señora comparando Pereira y Valencia.

– ¿Qué prefieres, Pereira o Valencia?

– Me gusta más Pereira.

– ¿Qué prefieres, la comida de Pereira o la comida valenciana?

– Me gusta más la comida de mi tierra.

– ¿Qué es más grande, Pereira o Valencia?

– Creo que es más grande Pereira.

– ¿Dónde hace más calor, en Valencia o en Pereira?

– Hace más calor en Valencia.

Pista 64

In these interviews three people talk about the best and worst parts of their jobs.

Escuche a estas personas hablar sobre lo mejor y lo peor de sus trabajos.

(a) – ¿A qué se dedica?

– Soy secretaria.

– ¿Qué es lo bueno de ser secretaria?

– Lo bueno de ser secretaria es el horario.

– Y, ¿qué es lo malo de ser secretaria?

– ¡Lo malo de ser secretaria es la jefa!

(b) – ¿A qué te dedicas?

– Soy ama de casa.

– ¿Qué es lo bueno de ser ama de casa?

– Lo bueno de ser ama de casa es el contacto con los hijos.

– Y, ¿qué es lo malo de ser ama de casa?

–   Lo malo de ser ama de casa es que es un trabajo poco valorado.

(c)   –   Mire, de la emisora Portales, ¿le puedo hacer una preguntita? ¿Qué es lo bueno de ser estrella de cine?

–   Lo bueno de ser estrella de cine es la fama.

–   Y, ¿qué es lo malo de ser estrella de cine?

–   Lo malo de ser estrella de cine son los periodistas como usted.

–   Ah, ya, pero si no hay periodistas, no hay fama, ¿no?

Pista 65

Now a group of friends sing a traditional song from the *fiesta de San Fermín*, which takes place in Pamplona in July.

Ahora un grupo de amigos canta una canción típica de los Sanfermines.

> Uno de enero,
> dos de febrero,
> tres de marzo,
> cuatro de abril,
> cinco de mayo,
> seis de junio,
> siete de julio,
> San Fermín.
>
> (*Repeat*)
>
> A Pamplona hemos de ir
> con una media, con una media.
> A Pamplona hemos de ir
> con una media y un calcetín.

Pista 66

DOCUMENTAL 2
El Mercado Central

Now it's time for another programme in our documentary series En portada. *This one is dedicated to the market hall in Valencia, El Mercado Central. The architecture, atmosphere and the quality of the fresh produce makes shopping there a unique experience.*

Bienvenidos a *En portada*. En el programa de hoy vamos de compras al Mercado Central de Valencia. ¿Tienen la lista de la compra preparada? ¡Pues vamos!

El Mercado Central está en el centro de Valencia, muy cerca de la Plaza del Ayuntamiento. ¡Es enorme! Es el mercado de productos frescos más grande de toda Europa.

El edificio es precioso: es de principios del siglo XX y su estilo es modernista. Está hecho principalmente de hierro. Y tiene una cúpula de cristal y cerámica. Es una cúpula muy alta, ¡impresionante!

En las calles del Mercado hay puestos donde venden fruta y verdura, pescado y marisco, carne y charcutería, especias, frutos secos, flores…

Vamos a hablar con algunos clientes sobre sus hábitos de compra.

¿Dónde hace la compra normalmente?

Compro aquí en el Mercado Central y algunas veces también compro en el supermercado.

¿Dónde haces la compra normalmente?

A veces voy a un supermercado, pero la fruta y la verdura la compro siempre aquí.

Bueno, la verdura y la carne en el Mercado.

Normalmente la verdura y la fruta en el Mercado, y el resto en el supermercado.

La gente compra aquí porque hay más variedad, los productos son más frescos, y los precios son económicos. Los clientes nos explican por qué vienen al Mercado.

Porque hay más variedad, hay más… está más barato.

Porque hay más donde elegir. Encuentras ofertas…

Las cosas más frescas y mucha más calidad.

La región de Valencia es famosa por su huerta, donde se cultivan frutas y verduras de calidad superior, que exporta a todo el mundo.

Muchos vendedores de los puestos del Mercado tienen su huerta. Ellos venden los productos que cultivan en su huerta.

El Mercado simboliza la tradición de la región y también simboliza el progreso: es el primer mercado del mundo que utiliza internet para vender sus productos. Nos habla una empleada del servicio de atención al cliente.

> ¿Cuál es la dirección de internet?
>
> Nuestra dirección es ww[w].mercadocentralvalencia.es
>
> ¿Qué tipo de gente compra por internet?
>
> Suelen ser empresarios, comerciantes… Gente de treinta a cuarenta años.

La compra por internet de productos del Mercado empieza en el año 1996, y funciona muy bien.

A ver, tengo que hacer la compra hoy, y es muy tarde. ¿Cuál es la dirección? www.mercadocentralvalencia.es. Bien. ¡Huy, qué página web tan bonita!

Historia, puestos, servicios del Mercado, recetas aquí, compra por internet… ¡Aquí está! Tengo que registrarme: nombre, edad… ya está. Bueno, pues la lista de la compra: quiero un kilo de limones, un kilo de tomates, un kilo de peras…

Pista 67

Listen to these station announcements.

Escuche los anuncios de la estación.

[a] Tren procedente de Barcelona con destino Murcia tiene la salida del andén número dos a las once y veinte.

[b] Pasajeros para el tren de las 11:35 con destino Albacete al andén número uno.

[c] Tren destino Granada tiene la salida del andén tres a las doce menos veinte.

[d] El tren procedente de Teruel hará su llegada a las 11:50 al andén número cuatro.

Pista 68

Listen to this telephone conversation to book a hotel room.

Escuche la conversación telefónica para reservar una habitación de hotel.

Recepcionista   Buenos días. ¿Qué desea?

Cliente   Quería hacer una reserva.

Recepcionista   Sí. ¿Para qué fecha?

Cliente   Para el diez de junio.

Recepcionista   ¿Qué tipo de habitación?

Cliente   Una habitación doble con baño, por favor.

Recepcionista   Una doble con baño. Muy bien. ¿Para cuántas noches?

Cliente   Para cuatro noches.

Recepcionista   Bien. ¿Su nombre, por favor?

Pista 69

Now *Español de bolsillo*. Here are all the phrases that are featured in this unit.

Ahora escuche las frases del Español de bolsillo *que aparecen en esta unidad.*

¿Está María?

Sí, soy yo.

Ella habla.

Hola, soy Luis.

Habla Luis.

Pista 70

¿Te gustaría ir a bailar?

¿Te apetece ir al teatro?

Vale.

De acuerdo.

¡Estupendo!

Pista 71

¿Tiene una habitación individual?

¿Tiene una habitación doble?

¿Tiene una habitación con dos camas?

¿Con baño o con ducha?

Pista 72

Quería hacer una reserva.

¿Para cuándo?

¿Para qué fecha?

Para el dos de mayo.

¿Para cuántas noches?

Para tres noches.

Pista 73

No sale agua caliente.

La cisterna no funciona.

El televisor está estropeado.

Las sábanas están sucias.

Pista 74

¿Le importaría arreglar el grifo?

¿Puede arreglar la cisterna?

¿Le importaría cambiar la radio?

¿Puede cambiar las sábanas?

Pista 75

¿Hay un tren directo para Santiago?

¿A qué hora sale?

¿A qué hora llega?

¿Cuánto tarda?

¿De qué andén sale?

¿A qué andén llega?

Pista 76

Un billete para Sevilla.

¿Ida o ida y vuelta?

¿Para cuándo?

¿Para qué fecha?

Para el tres de abril.

Pista 77

¿A cuánto están los melocotones?

A uno setenta el kilo.

¿Cuánto valen los limones?

Uno veinte el kilo.

¿Cuánto cuestan los plátanos?

Uno treinta y cinco el kilo.

¿Cuánto es el kilo de manzanas?

Uno sesenta el kilo.

¿Cuánto cuesta esta lechuga?

Noventa céntimos.

Pista 78

¿Qué le pongo?

¿Qué le doy?

Me da medio kilo de cordero.

Me pone un cuarto de ternera.

¿Algo más?

¿Otra cosita?

Cien gramos de jamón serrano.

¿Me dice cuánto es, por favor?

Pista 79

¿Qué prefieres, Pereira o Valencia?

Prefiero Pereira.

¿Qué te gusta más, Pereira o Valencia?

Me gusta más Pereira.

(Este es el final del Compacto de actividades 3.)

Apuntes gramaticales
A grammar summary of Books 1, 2 and 3

Nouns

Gender and number of nouns

	Singular	Plural
Masculine	el niño	los niños
Feminine	la niña	los niñas

Feminine of professions

	Masculine	Feminine
Ending in *-o* → **Change to** *-a*	el arquitecto	la arquitecta
Ending in *-or, -ín* → **Add an** *-a*	el profesor el bailarín	la profesor-a la bailarin-a
Ending in *-nte, -ista* → **No change**	el artista el cantante	la artista la cantante

Plural of nouns

Ending in vowel → **Add** *-s*	la camarera → las camareras
Ending in consonant → **Add** *-es*	el escritor → los escritores
Exception: ending in *-z* → **Change to** *-ces*	la actriz → las actrices

Personal pronouns

Singular		Plural	
yo	*I*	nosotros / nosotras	*we*
tú	*you* (informal)	vosotros / vosotras	*you* (informal)
usted	*you* (formal)	ustedes	*you* (formal)
él	*he*	ellos / ellas	*they*
ella	*she*		

Note: in Latin America *ustedes* is used for the **informal** plural 'you' instead of *vosotros / vosotras*.

Articles

	Definite ('the')		Indefinite ('a' / 'an')	
	Singular	Plural	Singular	Plural
Masculine	el	los	un	unos
Feminine	la	las	una	unas

Numbers

Cardinal numbers 1 – 100

1 uno	11 once	20 veinte
2 dos	12 doce	21 veintiuno
3 tres	13 trece	22 veintidós
4 cuatro	14 catorce	23 veintitrés
5 cinco	15 quince	24 veinticuatro
6 seis	16 dieciséis	25 veinticinco
7 siete	17 diecisiete	26 veintiséis
8 ocho	18 dieciocho	27 veintisiete
9 nueve	19 diecinueve	28 veintiocho
10 diez		29 veintinueve

30 treinta	From 40 (*cuarenta*) onwards the numbers are written like the 30s series: *cuarenta y uno, cuarenta y dos,* etc.
31 treinta y uno	40 cuarenta
32 treinta y dos	50 cincuenta
33 treinta y tres	60 sesenta
34 treinta y cuatro	70 setenta
35 treinta y cinco	80 ochenta
36 treinta y seis	90 noventa
37 treinta y siete	100 cien
38 treinta y ocho	
39 treinta y nueve	

Cardinal numbers from 100

100 cien	700 setecientos/as
101 ciento uno/a	800 ochocientos/as
110 ciento diez	900 novecientos/as
122 ciento veintidós	1.000 mil
154 ciento cincuenta y cuatro	1.300 mil trescientos/as
200 doscientos/as	2.000 dos mil
300 trescientos/as	5.000 cinco mil
400 cuatrocientos/as	1.000.000 un millón
500 quinientos/as	2.000.000 dos millones
600 seiscientos/as	

Ordinal numbers

1º/1ª	primero/primera	6º/6ª	sexto/sexta
2º/2ª	segundo/segunda	7º/7ª	séptimo/séptima
3º/3ª	tercero/tercera	8º/8ª	octavo/octava
4º/4ª	cuarto/cuarta	9º/9ª	noveno/novena
5º/5ª	quinto/quinta	10º/10ª	décimo/décima

Adjectives

Agreement of adjectives

	Singular	Plural
Masculine	(el edificio) moderno	(los edificios) modernos
Feminine	(la casa) moderna	(las casas) modernas
Most adjectives ending in –e or a consonant don't change	(el edificio/la casa) grande cultural	(los edificios/las casas) grandes culturales

Some adjectives of nationality

-ano / -ana	-eño / -eña	-és / -esa	-án / -ana
colombiano	brasileño	francés	alemán
italiano	hondureño	inglés	catalán
peruano	panameño	irlandés	

Verbs

Conjugations: regular forms

In Spanish there are three categories of verbs (*conjugaciones*), with infinitives ending in *-ar*, *-er* and *-ir* respectively:

HABLAR	APRENDER	ESCRIBIR
hablo	aprendo	escribo
hablas	aprendes	escribes
habla	aprende	escribe
hablamos	aprendemos	escribimos
habláis	aprendéis	escribís
hablan	aprenden	escriben

Completely irregular verbs in the present tense

The verbs *ser* and *ir* are completely irregular:

SER	IR
soy	voy
eres	vas
es	va
somos	vamos
sois	vais
son	van

Reflexive verbs

Llamarse is a regular reflexive verb: *me llamo, te llamas, se llama, nos llamamos, os llamáis, se llaman.* Note that, as well as changing the ending according to the person, reflexive verbs also need a reflexive pronoun: *me, te, se* (singular) and *nos, os, se* (plural). The infinitives of reflexive verbs always end in *-se*, e.g. *ducharse, vestirse*.

Partially irregular verbs in the present tense

The following verbs are irregular in the first person singular. Note that *tener* and *venir* are also radical changing.

	DAR	**HACER**	**PONER**	**SABER**	**TENER**	**SALIR**	**VENIR**
yo	doy	hago	pongo	sé	tengo	salgo	vengo
tú	das	haces	pones	sabes	tienes	sales	vienes
él/ella/Ud.	da	hace	pone	sabe	tiene	sale	viene
nosotros / nosotras	damos	hacemos	ponemos	sabemos	tenemos	salimos	venimos
vosotros / vosotras	dais	hacéis	ponéis	sabéis	tenéis	salís	venís
ellos/ellas/ Uds.	dan	hacen	ponen	saben	tienen	salen	vienen

Radical changing verbs

Radical changing verbs that have an *e* in the stem change to *ie* in the first, second and third person singular and the third person plural forms. Those with an *o* or an *u* in their stem change to *ue*.

CERRAR (to close)	**VOLVER (to return)**	**JUGAR (to play)**
cierro	vuelvo	juego
cierras	vuelves	juegas
cierra	vuelve	juega
cerramos	volvemos	jugamos
cerráis	volvéis	jugáis
cierran	vuelven	juegan

Use of verbs *ir, tomar, seguir, cruzar* and *girar* to give directions

Vaya al final de la calle.

Tome la última a la derecha.

Siga todo recto.

Cruce la calle.

Gire a la izquierda.

Gustar with singular nouns

(No) me gusta…	(No) nos gusta…
(No) te gusta…	(No) os gusta…
(No) le gusta…	(No) les gusta…

Gustar with plural nouns

(No) me gustan…	(No) nos gustan…
(No) te gustan…	(No) os gustan…
(No) le gustan…	(No) les gustan…

To specify the person, use *a* and the name:

A Enrique le gusta el cine francés.

A Pepe y a María les gusta la cocina mexicana.

Gustar with infinitives

Gustar can be followed by an infinitive when what is liked is an action. Only the singular form is used. The pronoun shows who does the liking, e.g. *Me gusta ir al teatro.*, *Nos gusta leer novelas.*

Other verbs expressing likes and dislikes

There are a number of verbs that, like *gustar,* agree in number (singular or plural) with the noun after them:

Me encanta el jardín.	Me encantan los jardines.
Me interesa el libro.	Me interesan los libros.
Me molesta el ruido.	Me molestan los ruidos de la calle.

Making comparisons

Comparisons with adjectives

Use the following structures:

(a) To say that that place A is more … than place B:

Portillo es **más** bonito **que** las Termas de Chillán.

(b) To say that that place B is less … than place A:

Chillán es **menos** caro **que** Portillo.

Remember also *mejor que* ('better than') and *peor que* ('worse than').

When two places/activities/people are equally amusing/attractive/etc., use the comparison *tan … como* ('as … as'):

Portillo es **tan** bonito **como** Chillán.

Comparisons with nouns

Use *más … que* and *menos … que* with nouns:

Montevideo tiene **más habitantes que** Valencia.

Valencia tiene **menos museos que** Montevideo.

For comparisons of equality with nouns, use *tanto/a/os/as … como* ('as … as'). *Tanto/a/os/as* agrees with the noun that it qualifies in number and gender.

Hay **tanta lluvia** en Santander **como** en Bilbao.

Bogotá tiene **tantos parques como** Santiago.

Prepositions

Prepositions to indicate location: *a, en, entre*

La plaza de Armas está **en** el centro.

El polideportivo está **entre** la calle Mayor y la avenida Goya.

Prepositional phrases to indicate location

The most common are: *al lado de, debajo de, detrás de, delante de, encima de, enfrente de, junto a.*

>El hospital está **detrás de** la universidad.
>
>La Catedral está **enfrente de** la plaza.

Some useful prepositional phrases

a	dos pasos cinco minutos tres calles	del centro de aquí de la playa
en	pleno centro el corazón el centro las afueras	de la ciudad del pueblo

Talking about means of transport

The preposition *en* is used: *en autobús, en metro, en coche, en taxi.* The only exception is *a pie* (on foot).

Forming questions

Interrogative adverbs and pronouns

>¿Cómo? *(How?)*
>
>¿Dónde? *(Where?)*
>
>¿Qué? *(What?)*
>
>¿Quién? *(Who?)*
>
>¿Cuál? *(Which? / What?)*

Asking and saying the time of activities

¿A qué hora?	A las dos / tres / cuatro.
¿A qué hora llegas?	Llego a las dos.

Asking how many

To ask 'how many?', the interrogative *¿cuántos? / ¿cuántas?* is used. When you are asking about a masculine plural noun, *cuántos* is used:

>– ¿Cuántos cuartos de baño tiene tu casa?

When you are asking about a feminine plural noun, *cuántas* is used:

>– ¿Cuántas habitaciones hay en tu departamento?

Adverbs

Expressing frequency

Use expressions such as: *siempre* ('always'), *todos los días* ('every day'), *a menudo* ('often'), *a veces* ('sometimes'), *de vez en cuando* ('from time to time'), and *nunca* ('never'). These can go at the beginning or at the end of the sentence.

> Bebo café todos los días.

> A menudo bebo cerveza.

A double negative is needed when *nunca* goes at the end of a sentence, e.g. *Nunca bebo.* = *No bebo nunca.*

Frequency can also be expressed using an adverb (e.g. *normalmente, generalmente*) or using *soler* + infinitive ('usually'), e.g. *Suelo comer pan. Acostumbrar* (*a*) is frequently used in Latin America in the same way.

Talking about days of the week

The days of the weeks are: *lunes, martes, miércoles, jueves, viernes, sábado, domingo.* They are masculine, are always written with a small letter, and are generally used with the definite article, e.g. *El lunes voy al dentista.*

When talking about routines, the plural is used (only *sábado* and *domingo* add an *-s*), e.g. *Los lunes empiezo el trabajo a las nueve.*

Informal conversations on the phone

To answer the phone, use: *¿Dígame?, ¿Sí?* or, in Chile, *¿Aló?*

To ask for someone, use: *¿Está Luis?* or *¿Puedo hablar con Josefa?*

To confirm who you are, use: *Soy yo* or *Soy Luis* in Spain or, in Chile, *Él/ella habla* or *Habla Patricio.*

Expressing dates

To say the date in Spanish, use cardinal numbers (e.g. *uno, dos, tres,* etc.) with the article *el*, followed by *de*: *el 1 (uno) de diciembre.*

The day of the week goes immediately before the number: *el sábado 15 (quince) de mayo.*

The article is not used with a time reference (e.g. *hoy, mañana*): *Hoy es 16 (dieciséis) de abril.*

Expressing advantages and disadvantages

You can use the expressions *lo bueno* ('the good thing') and *lo malo* ('the bad thing'):

> Lo bueno de ser secretaria es…

> Lo malo de ser ama de casa es…

Lo turns adjectives into abstract nouns. In English, this would be expressed by 'the good/bad thing (about, etc.)'. *Lo bueno* and *lo malo* stay the same when followed by a masculine or a feminine noun, singular or plural:

> Lo bueno es la fama.

> Lo malo son los periodistas.

Phrases such as *lo malo de…* are followed by an infinitive (e.g. *lo malo de ser*), whereas an '-ing' form is used in English ('the bad thing about **being**').

Acknowledgements

Grateful acknowledgement is made to the following sources for permission to reproduce material within this book:

Photographs

Page 9 (bottom right) and page 50: Courtesy of María Iturri; *page 10*: Courtesy of Cristina Ros; *page 15 (a), (c) and pages 16, 31, 34, 38, 76, 90, 92*: Courtesy of Fernando Rosell Aguilar; *page 15 (b)*: Courtesy of Malihé Sanatian; *page 15 (d)*: Courtesy of Enilce Northcote-Rojas; *page 32*: Courtesy of Tomás Martín; *pages 63, 67 and 102*: © Ski Portillo, Chile; *page 70 (top) and page 97*: Francisco Tagini *and page 70 (bottom)* Luis Herreros, courtesy of Corporación de Promoción Turística de Chile, Santiago de Chile, from CD *Chile en imágenes*, also www.visitchile.org; *page 85*: © Simon Fuller; *pages 88 and 100*: Courtesy of Asociación de Vendedores del Mercado Central de Valencia; *page 93 (top)*: © Tony Morrison/South American Pictures; *page 93 (bottom)*: © Corbis; *page 95*: © Nicholas Bright/South American Pictures; *page 103*: Courtesy of Turespaña.

Cartoons

Pages 19, 47, 79 and 101 by Roger Zanni.

Cover photo by Mike Levers of the Monasterio de la Cartuja, home of the Museo de Arte Contemporáneo de Andalucía and a former porcelain and ceramics factory, Isla de la Cartuja, Seville.

Every effort has been made to contact copyright owners. If any have been inadvertently overlooked, the publishers will be pleased to make the necessary arrangements at the first opportunity.

A guide to Spanish instructions

Anote	*Note down*
Cambie	*Change*
Coloque	*Place*
Compruebe	*Check*
Construya frases	*Make sentences*
Conteste	*Answer*
Corrija (las faltas)	*Correct (the mistakes)*
Descifre (el mensaje)	*Work out (the message)*
Enlace (las columnas)	*Match up (the columns)*
Escoja la opción correcta	*Choose the correct option*
Escriba (frases)	*Write (sentences)*
Escuche (el extracto)	*Listen to (the extract)*
Grábese en su cinta	*Record yourself on your tape*
Haga (listas / la reserva)	*Make (lists / the reservation)*
Haga preguntas	*Ask questions*
Indique	*Mark, indicate*
Lea (el texto)	*Read (the text)*
Marque con una cruz	*Put a cross (= tick)*
Mire (el mapa)	*Look at (the map)*
Observe	*Look at, observe*
Ordene (las palabras / las frases / los dibujos)	*Put (the words / the sentences / the drawings) in order*
Participe	*Take part*
Ponga (las frases) en orden	*Put (the sentences) in order*
Rellene los espacios en blanco	*Fill in the gaps*
Responda a	*Reply to, respond to, answer*
Subraye	*Underline*
Tache	*Cross out / Cross off*
Tome apuntes	*Make notes*
Traduzca (al inglés)	*Translate (into English)*
¿Verdadero o falso?	*True or false?*

This publication forms part of the Open University courses L194 and LZX194 *Portales*. Details of these and other Open University courses can be obtained from the Course Information and Advice Centre, PO Box 724, The Open University, Milton Keynes MK7 6ZS, United Kingdom: tel. +44 (0)1908 653231, e-mail general-enquiries@open.ac.uk

Alternatively, you may visit the Open University website at http://www.open.ac.uk where you can learn more about the wide range of courses and packs offered at all levels by The Open University.

To purchase a selection of Open University course materials, visit the webshop at www.ouw.co.uk, or contact Open University Worldwide, Michael Young Building, Walton Hall, Milton Keynes MK7 6AA, United Kingdom for a brochure. tel. +44 (0)1908 858785; fax +44 (0)1908 858787; e-mail ouwenq@open.ac.uk

The Open University
Walton Hall, Milton Keynes
MK7 6AA

First published 2003

Edited, designed and typeset by The Open University.

Printed and bound in the United Kingdom by the Alden Group, Oxford.

ISBN 0 7492 6532 9

1.1

The Open University

Education and
Language Studies:
level 1

P
O
R
T
A
L
E
S

Unidad 1   Cada cosa a su tiempo

Unidad 2   De vacaciones

3